Auteurs

Christelle Barbera
David Escudero

Cahier d'exercices

www.emdl.fr/fle

Cet ouvrage est basé sur l'approche didactique et méthodologique mise en place par les auteurs de *Reporteros* : Sophie Rouet et Gwenaëlle Rousselet.

Auteurs : Christelle Barbera, David Escudero
Édition : Diakha Siby, Collectif Édition (Valérie Benet), Gema Ballesteros Pretel
Conception graphique : Pica Agency, Laurianne López (couverture)
Mise en page : HeLLo HeLLo, Cristina Muñoz Idoate
Illustrations : Alejandro Milà, Laurianne López (p. 5, 13, 21, 29, 37, 45, 53, 61)
Photographies des Reporters : García Ortega
Relecture et correction : Sarah Billecocq, Laure Dupont

CRÉDITS

CRÉDITS PHOTOGRAPHIQUES

COUVERTURE : García Ortega

Unité 1 García Ortega ; wikipedia/Luc Viatour / https://Lucnix.be ; Jobalou/Istockphoto.com ; Dimitris66/Istockphoto.com ; anna1311/Istockphoto.com ; mgfoto/Istockphoto.com ; ranplett/Istockphoto.com ; spinka/Istockphoto.com ; Roman Samokhin/Istockphoto.com ; bergamont/Istockphoto.com ; ALLEKO/Istockphoto.com ; timsa/Istockphoto.com ; loops7/Istockphoto.com ; mikanaka/Istockphoto.com ; chictype/Istockphoto.com ; Hyrma/Istockphoto.com ; RedHelga/Istockphoto.com ; ValentynVolkov/Istockphoto.com ; Floortje/Istockphoto.com ; Sfocato/Istockphoto.com ; dogayusufdokdok/Istockphoto.com ; Valeriy_G/Istockphoto.com ; Jgalione/Istockphoto.com ; DronG/Istockphoto.com ; nataliaspb/Istockphoto.com ; Caziopeia/Istockphoto.com ; Guzaliia Filimonova/Istockphoto.com ; RedlineVector/Istockphoto.com ; Guzaliia Filimonova/Istockphoto.com ; margouillatphotos/Istockphoto.com ; tacojim/Istockphoto.com ; etienne voss/Istockphoto.com ; AlasdairJames/Istockphoto.com ; benimage/Istockphoto.com ; fcafotodigital/Istockphoto.com ; gresei/Istockphoto.com ; Studioimagen73/Istockphoto.com ; M.studio/Adobebe Stock ; AlasdairJames/Istockphoto.com ; subjug/Istockphoto.com ; Elenathewise/Istockphoto.com ; AlexvandeHoef/Istockphoto.com ; margouillatphotos/Istockphoto.com ; eddieberman /Istockphoto.com ; MarkGillow/Istockphoto.com ; CasarsaGuru/Istockphoto.com ; yulkapopkova/Istockphoto.com ; RedHelga/Istockphoto.com ; margouillatphotos/Istockphoto.com ; MmeEmil/Istockphoto.com **Unité 2** García Ortega ; Sergii Figurnyi/Adobe Stock ; Steve Debenport/Istockphoto.com ; yfhishinuma/Istockphoto.com ; DanBrandenburg/Istockphoto.com ; V_Sot/Istockphoto.com ; PeopleImages/Istockphoto.com ; Asia-Pacific Images Studio/Istockphoto.com ; AndreyCherkasov/Istockphoto.com ; stefanopolitimarkovina/Istockphoto.com ; PhotoBylove/Istockphoto.com **Unité 3** García Ortega ; Dietmar Rabich / Wikimedia Commons / « Straßburg (Frankreich), Petite France -- 2011 -- 1753 » / CC BY-SA 4.0 ; AnnaFrajtova/Istockphoto.com ; Adobe Stock ; cristaltran/Istockphoto.com ; borchee/Istockphoto.com ; romitasromala/Istockphoto.com ; Andrew F Kazmierski/Istockphoto.com ; DaveLongMedia/Istockphoto.com ; AdrianHancu/Istockphoto.com ; clagge/Istockphoto.com **Unité 4** Rob Byron/Adobe Stock ; wikipedia / RyansWorld [CC BY-SA 3.0] ; jldeines/Istockphoto.com ; Nannarin Suwanwihok/Istockphoto.com ; IngaNielsen/Istockphoto.com ; Garsya/Istockphoto.com ; treasurephoto/Istockphoto.com ; benoitrousseau/Istockphoto.com ; AzmanJaka/Istockphoto.com ; photostio/Istockphoto.com ; kreinick/Istockphoto.com ; Torresigner/Istockphoto.com ; wwing/Istockphoto.com ; oticki/Istockphoto.com ; https://bienvenuechezcoline.com ; Akova/Adobe Stock ; Ali - 3dotsad/Adobe Stock ; Believe_In_Me/Istockphoto.com ; Africa Studio/Adobe Stock ; michel_lanson/Adobe Stock ; mediaphotos/Istockphoto.com ; Brett Holmes Photography/Istockphoto.com ; agrobacter/Istockphoto.com ; vaitekune/Istockphoto.com ; Piotr Polaczyk/Istockphoto.com ; dudyka/Istockphoto.com ; Issaurinko/Istockphoto.com ; mawielobob/Istockphoto.com ; Chiyacat/Istockphoto.com ; weerapatkiatdumrong/Istockphoto.com ; gofotograf/Istockphoto.com ; adisa/Istockphoto.com ; SomeMeans/Istockphoto.com ; naumoid/Istockphoto.com **Unité 5** ivansmuk/Istockphoto.com ; beguima/Adobe Stock ; Kristy Sparow/Getty Images ; pakkalin/Adobe Stock **Unité 6** García Ortega ; Lenise Calleja | Dreamstime.com ; Andrey Bandurenko/Adobe Stock ; venusangel/Adobe Stock ; wika/Adobe Stock ; Katarzyna Bialasiewicz | Dreamstime.com ; Ivan Kopylov | Dreamstime.com ; Beaniebeagle | Dreamstime.com ; **Unité 7** García Ortega ; IgorSPb/Istockphoto ; macrovector/Adobe Stock **Unité 8** luismolinero/Adobe Stock ; Pablo Ariel Dalinger/Adobe Stock ; ALF photo/Adobe Stock ; Markus Mainka/Adobe Stock ; Tomboy2290/Adone Stock ; Luis Carlos; Jiménez/Adobe Stock ; Studio KIVI/Adobe Stock ; Petrik/Adobe Stock ; colorshadow/Adobe Stock ; Klodvig | Dreamstime.com ; siaivo/Adobe Stock ; Stephen Gibson | Dreamstime.com ; HandmadePictures/Adobe Stock **Delf** Atlantis/Adobe Stock ; tanyastock/Adobe Stock ; Marc/Adobe Stock ; alekseyvanin/Adobe Stock ; smolaw11/Istockphoto.com ; shironosov/Istockphoto.com ; DjelicS/Istockphoto.com ; WestLight/Istockphoto.com ; Luiz Henrique Mendes/Istockphoto.com ; fcafotodigital/Istockphoto.com ; pidjoe/Istockphoto.com ; ihba/Istockphoto.com ; ihsanyildizli/Istockphoto.com ; Trompinex/Istockphoto.com ; Pollyana Ventura/Istockphoto.com ; justhavealook/Istockphoto.com ; Maica/Istockphoto.com ; mawielobob/Istockphoto.com ; Issaurinko/Istockphoto.com ; AnthonyRosenberg/Istockphoto.com ; gofotograf/Istockphoto.com ; mawielobob/Istockphoto.com ; talevr/Istockphoto.com

REMERCIEMENTS

Nous tenons à remercier tout ceux qui ont contribué à cette publication, notamment : Delphine Rouchy, Aliénor, Noélie, Yassir, Agathe, Evann et Aïssata. Merci enfin à nos « voix ».

ISBN : 978-84-17260-90-3
Réimpression : décembre 2023
Imprimé dans l'UE

www.emdl.fr/fle

SOMMAIRE

À LA UNE

YASSIR

Il est marocain et il habite à Marrakech. Yassir adore manger et faire la cuisine, il connaît de nombreuses recettes traditionnelles de son pays.

CÉLINE

Elle habite à Bruxelles, la capitale de la Belgique et, quand elle a du temps libre, elle essaie d'aider les autres en étant bénévole dans des associations.

CHLOÉ

Elle est française et elle vient de s'installer à Strasbourg, dans l'Est de la France. Sa passion : les voyages ! Elle a visité la Chine, l'Argentine, le Maroc...

MOUSSA

Il est ivoirien, son pays, c'est donc la Côte d'Ivoire. Il habite à Abidjan et il est préoccupé par l'environnement et la nature.

ÉMILIE

Elle est française et elle habite à Marseille. Elle utilise beaucoup son téléphone portable et communique avec ses amis grâce à des applications comme Snapchat. Elle s'intéresse beaucoup aux nouvelles technologies et aux objets connectés.

EVANN

Il habite à Rennes dans le Nord-Ouest de la France, en Bretagne. Evann adore la musique celtique, la musique traditionnelle de sa région, et il parle un peu breton, la langue régionale !

FATOU

Elle est sénégalaise et elle vient de Dakar, la capitale. Elle est passionnée de littérature et elle aime aussi beaucoup écrire des histoires.

ADRIEN

Il est français et vient de la ville de Lille, dans le Nord de la France, à côté de la Belgique. Adrien est très sportif, il pratique le handball plusieurs fois par semaine et il est bénévole dans une association qui aide les jeunes du Mali.

UNITÉ 1
BON APPÉTIT !

↑ Place Jemaa el-Fna, Marrakech

Que sais-tu de Yassir ?

Complète les informations sur Yassir.

a. Dans quelle ville habite-t-il ? ....

b. Quelle est sa nationalité ? ....

c. Donne le nom de deux plats marocains. ....

d. Écris deux choses qu'il aime. ....

e. De quoi parle-t-il sur son blog ? ....

1. UNE ALIMENTATION ÉQUILIBRÉE

A **Peux-tu reconnaître ces aliments ? Écris leur nom sous l'image.**

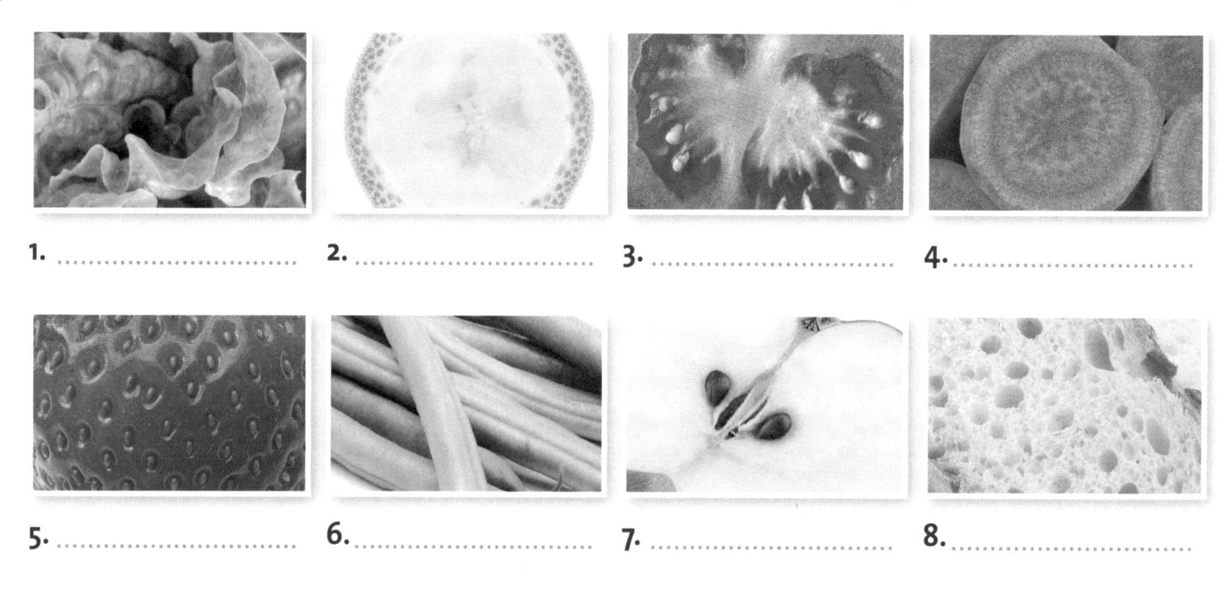

1. ....
2. ....
3. ....
4. ....
5. ....
6. ....
7. ....
8. ....

B **À l'aide des photos, complète la liste des ingrédients.**

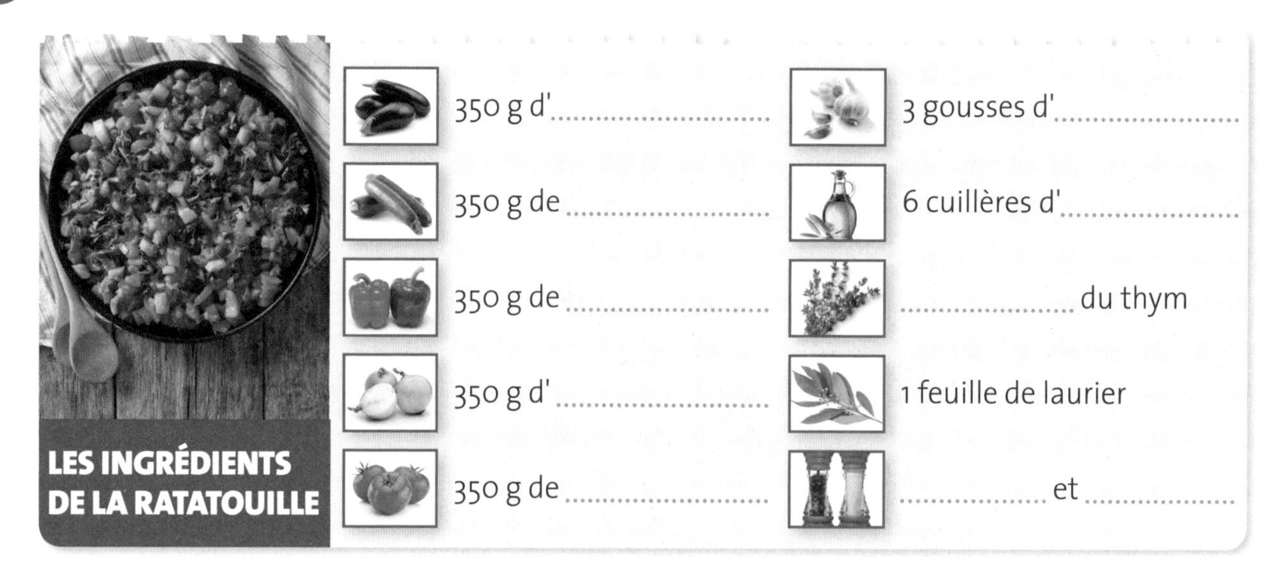

350 g d'..............................
350 g de ....
350 g de ....
350 g d' ....
350 g de ....
3 gousses d'..............................
6 cuillères d'..............................
.... du thym
1 feuille de laurier
.... et ....

C **Écoute les dialogues à la cantine et complète les menus d'Oscar et de Clémentine.**

Piste 1

	Oscar	Clémentine
Entrée	....	....
Plat	....	....
Produit laitier	....	....
Dessert	....	....
Repas équilibré	OUI ☐ NON ☐	OUI ☐ NON ☐

2. MES PRÉFÉRENCES

A Conjugue les verbes au présent.

1. Moi, j' **(aimer)** .... le yaourt, mais je **(ne pas aimer)** .... le fromage.
2. Toi, tu **(adorer)** .... la viande, mais tu **(détester)** .... le poisson.
3. Charlotte, elle **(adorer)** .... le chocolat noir, elle **(aimer)** .... le chocolat au lait, mais elle **(détester)** .... le chocolat blanc.
4. Les enfants, ils **(adorer)** .... les fruits, mais ils **(ne pas aimer)** .... les légumes.

B La famille de Yassir va au restaurant. Retrouve l'entrée choisie par chacun.

Entrées

Salade de saumon fumé, avocat et orange

Sardines à l'huile, carottes râpées et salade de pommes de terre

Quiche aux trois fromages, avec de la salade verte

1. Le père de Yassir adore le poisson, il aime la viande et les légumes.
   Mais il n'aime pas les pommes de terre et le fromage.
   Entrée choisie : ....
2. La mère de Yassir n'est pas compliquée. Elle aime bien tout.
   Mais elle déteste un seul aliment : l'avocat. Et elle n'aime pas beaucoup les œufs.
   Entrée choisie : ....
3. Yassir adore les carottes, la viande, les pommes de terre et les produits laitiers.
   Mais il déteste le poisson et le citron.
   Entrée choisie : ....

C Écris le contraire.

1. J'aime les poires. ≠ ....
2. Il déteste les bananes. ≠ ....
3. Nous n'aimons pas le beurre. ≠ ....
4. Tu adores les courgettes. ≠ ....
5. Elle aime les olives vertes. ≠ ....

1. LES HABITUDES ALIMENTAIRES

A **Écris sur le schéma le nom des repas de la journée.**

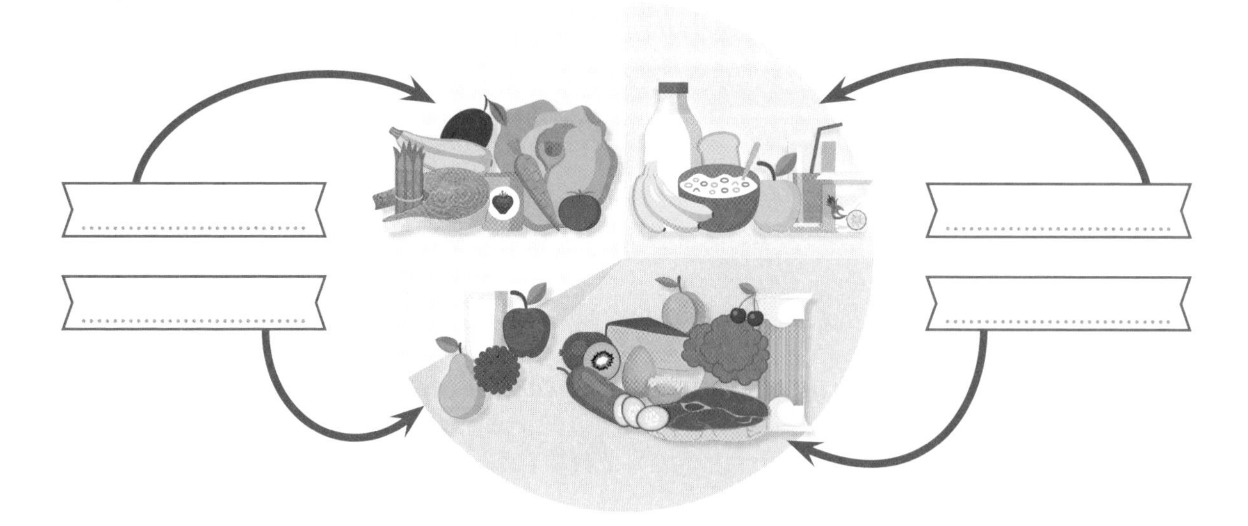

B **Réécris ce texte avec le pronom *on*.**

LE PETIT DÉJEUNER EN FRANCE

Les Français mangent du pain avec du beurre et de la confiture. Les gens aiment aussi acheter des croissants et des pains au chocolat le week-end. Ils boivent du café ou du thé. Les Français aiment aussi prendre un jus de fruit le matin. Pour le petit déjeuner des enfants, ils préfèrent des céréales avec un chocolat chaud.

En France, on... ....

....

....

....

....

....

....

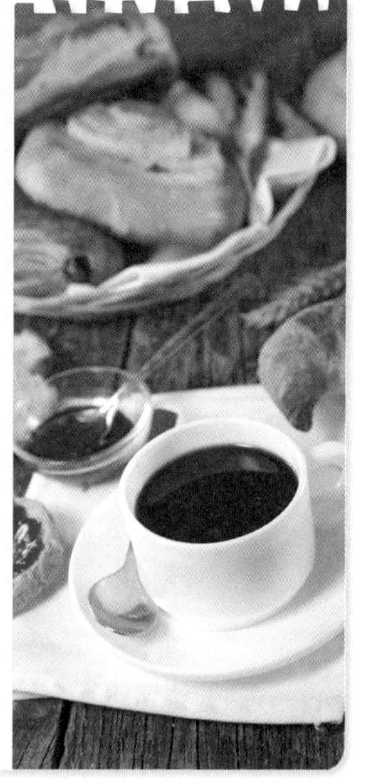

C **Complète les phrases avec les articles partitifs : *du, de la, des* et *de l'*.**

1. Dans mon smoothie, il y a .... kiwi, ... pomme, ... ananas et .... banane.
2. Dans la salade grecque, il y a .... salade verte, ... fromage, ... tomates, ... poivrons, ... concombre et .... olives noires.
3. Dans les crêpes, on peut ajouter .... miel, ... sucre, ... citron, ... chocolat, ... confiture ou .... caramel.

2. SUCRÉ OU SALÉ ?

A **Classe les aliments selon leur goût. Un même aliment peut avoir deux goûts différents.**

du ketchup	de la moutarde	de la sauce soja	des chips	du citron vert	du piment
du vinaigre	de la pâte à tartiner	du fromage	du nougat	du jus d'orange	du poivre

Sucré	Salé	Piquant	Acide
....	....	....	....
....	....	....	....
....	....	....	....
....	....	....	....

B **Jasmine et Mounir vont au Maroc chez leurs grands-parents pour les vacances. Écoute le dialogue et dis si les affirmations sont vraies ou fausses.**

Piste 2

	VRAI	FAUX
1. Jasmine et Mounir aiment la cuisine de leur grand-mère.	❒	❒
2. Leur grand-mère prépare un tajine de poulet aux olives.	❒	❒
3. Le tajine de la grand-mère est piquant.	❒	❒
4. Jasmine n'aime pas le tajine de sa grand-mère.	❒	❒
5. Mounir déteste la sauce harissa.	❒	❒

C **Imagine un nouvel aliment qui mélange plusieurs goûts. Dessine-le et décris ses saveurs.**

CITRON MULTICOULEUR

C'est un fruit acide et sucré : comme une mandarine, un citron et un citron vert dans un seul fruit.

....

....

1. ON PRÉPARE UNE FÊTE !

A **1.Dans les mots mêlés, retrouve 8 noms pour exprimer la quantité.**

E	L	L	I	E	T	U	O	B	L	E	A
B	T	G	R	A	M	M	E	S	O	H	F
R	O	T	G	E	W	N	A	U	K	C	V
Q	Q	Î	E	X	U	A	T	I	R	N	I
C	W	Z	T	L	T	C	L	D	V	A	T
R	V	X	J	E	B	O	R	L	H	R	X
L	N	I	U	A	K	A	V	Y	Z	T	K
K	Z	Q	Y	O	Z	F	T	L	K	Y	T
J	A	Z	G	Z	M	M	Q	I	L	J	C
P	B	Q	Q	Z	R	M	P	T	Y	L	E
Q	Q	H	K	X	M	E	P	R	X	P	N
U	X	G	Z	H	X	A	L	E	X	N	B

2.Complète ces expressions avec les quantités de l'exercice 1.

un .... de gâteaux

une .... de chocolat

une .... d'œufs

un .... d'eau

une .... de pain

100 .... de sucre

un .... de pommes de terre

une .... de jus d'orange

B Piste 3

Les amis de Marion préparent une fête surprise pour son anniversaire. Écoute le dialogue et réponds aux questions.

1. Quel plat vont-ils préparer pour la fête de Marion ?

❐ 

❐ 

❐ 

2. Complète la liste des courses qu'ils vont devoir faire.

LISTE DES COURSES

- 4 ....
- 1 bouteille de ....
- 250 grammes de ....
- du ....
- du ....
- de la ....
- du ....
- des ....

C Entoure la bonne préposition.

1. Ils déjeunent **au** - **chez le** restaurant.
2. Chéri, tu vas **à** - **chez** l'épicier.
3. Samedi, j'achète la viande **au** - **chez le** boucher.
4. On organise une fête **à** - **chez** la maison.
5. Vous prenez du pain **à** - **chez** la boulangerie.
6. Nous faisons les courses **au** - **chez le** supermarché.

2. JE COMMANDE UN PLAT

A Martin est à la sandwicherie. Remets le dialogue dans l'ordre.

- [1] C'est à qui ?
- [ ] Comme entrée, je prends une salade. Et comme sandwich, je voudrais un panini poulet barbecue.
- [ ] Bonjour ! Vous avez choisi ?
- [ ] Comme dessert, un flan à la noix de coco, s'il vous plaît. Et pour la boisson, un coca !
- [ ] Parfait, le panini arrive dans une minute ! Ça fait 9,5 euros, s'il vous plaît.
- [ ] Oui, je prends un menu fraîcheur.
- [ ] Et le dessert ?
- [ ] C'est à moi ! Bonjour !
- [ ] Comme entrée, vous voulez quoi ? Une salade ou de la soupe ?

B Écoute et note la commande des deux clients.

Piste 4

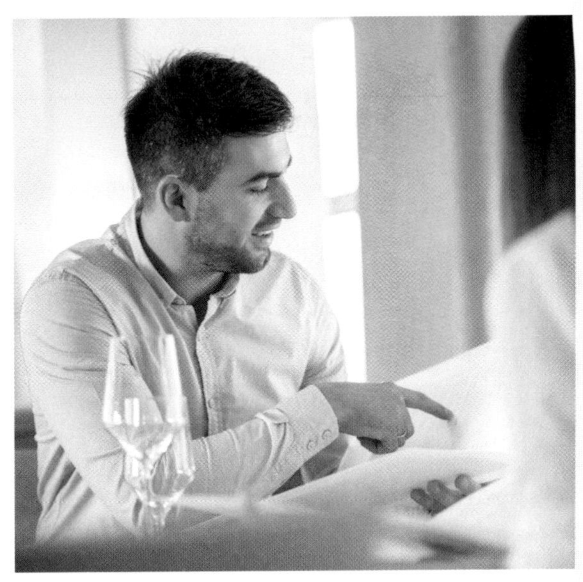

LE RESTAURANT Commande 015689

…/…/…

....

....

....

....

....

....

....

....

Je connais le nom des aliments.

1. Donne trois exemples pour chaque groupe d'aliments.

a. Les légumes : ....

b. Les fruits : ....

c. Les produits laitiers : ....

d. Les féculents : ....

Je peux parler des goûts alimentaires.

2. Écris des phrases pour décrire les goûts alimentaires de Pierre.

Pierre adore le poisson.

....

....

....

Je peux utiliser les articles définis et les partitifs.

3. Entoure le bon article.

a. Je déteste **la** - **de la** banane.

b. Je prends **le** - **du** lait dans mon café.

c. J'aime **les** - **des** gaufres.

d. Je mange **les** - **des** plats épicés.

e. Je bois **le** - **du** soda.

f. J'achète **la** - **de la** viande.

g. J'adore **le** - **du** tajine.

h. Je veux **la** - **de la** tarte au citron.

Je peux utiliser « aller à » et « aller chez ».

4. Complète le texte avec *aller à* ou *aller chez*.

a. Aujourd'hui, je .... supermarché.

b. Patrice .... le boucher.

c. Nous .... l'épicerie.

d. Ils .... le boulanger.

UNITÉ 2
MES INTÉRÊTS

Que sais-tu de Céline ?

Complète les informations sur Céline.

a. Dans quel pays vit-elle ? ....

b. Dans quelle ville habite-t-elle ? ....

c. Qu'est-ce qu'elle fait quand elle a du temps libre ? ....

d. Quelles institutions européennes se trouvent à Bruxelles ? ....

e. De quoi parle-t-elle sur son blog ? ....

1. JE VEUX DEVENIR...

A **Ce schéma présente le système éducatif français pour les élèves à partir de 11 ans. Complète-le avec les mots suivants : *master – collège – licence – CAP.***

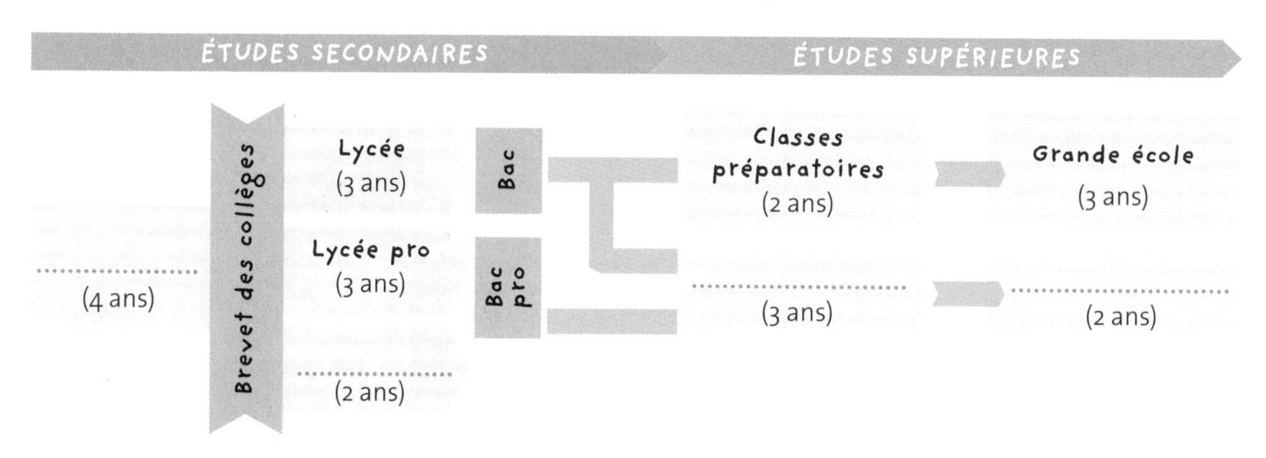

B
Piste 5

1. Trois adolescents parlent du métier qu'ils veulent faire plus tard. Écoute-les et coche la profession de leurs rêves.

a. Elena voudrait devenir...

❒ journaliste. ❒ informaticienne. ❒ traductrice.

b. Gaël voudrait devenir...

❒ médecin. ❒ professeur. ❒ ingénieur automobile.

c. Driss voudrait devenir...

❒ cuisinier. ❒ archéologue. ❒ biologiste.

2. Parmi les professions choisies par Elena, Gaël et Driss, explique laquelle est ta préferée et quels sont les études à suivre pour y parvenir.

....

....

C **Réécris ces phrases en utilisant *il faut*.**

1. Pour être médecin, il est nécessaire de faire des études très longues.

→ ....

2. Pour devenir scénariste pour le cinéma, on doit avoir beaucoup d'imagination.

→ ....

3. Pour faire des études de sciences physiques, il est nécessaire d'aimer les maths.

→ ....

4. Pour être archéologue, il est nécessaire d'avoir un bac + 5.

→ ....

2. MES PROJETS D'AVENIR

A **Complète ce dialogue entre la conseillère d'orientation et une collégienne avec les verbes au conditionnel.**

- Qu'est-ce que tu aimerais faire comme métier plus tard ? Tu as déjà une idée ?
- Je ne sais pas exactement, mais je **(vouloir)** .... voyager et parler des langues étrangères, rencontrer beaucoup de personnes venues de différents pays.
- Je vois. Tu **(pouvoir)** .... travailler dans le tourisme, comme guide touristique, par exemple.
- Oui, je **(pouvoir)** .... pratiquer les langues et visiter beaucoup de lieux magnifiques.
- Je vais chercher une brochure avec les différents métiers du tourisme. Et la prochaine fois, on **(pouvoir)** .... regarder ensemble les études qu'il faut faire. D'accord ?
- Merci beaucoup, madame ! J'**(aimer)** .... beaucoup avoir plus d'informations !

B **Quelles sont tes activités préférées ? Quelles activités n'aimes-tu pas faire ?**

lire des romans — aller au cinéma — prendre des photos — faire des calculs — lire l'actualité — participer à des débats — faire du sport — voyager

👍	👎
J'adore lire des romans.	Je n'aime pas prendre des photos.
....	....
....	....
....	....
....	....
....	....

C **Entoure la bonne forme verbale.**

1. Au collège, je **peux** - **peut** parler de mon orientation avec un conseiller.
2. Tu dessines très bien, tu **pourrais** - **pourrait** devenir illustrateur !
3. Avec une licence de langues étrangères, tu **peux** - **peut** faire différents métiers.
4. Elle adore les animaux. Elle **pourrais** - **pourrait** devenir vétérinaire.
5. Après un CAP coiffure, on **peux** - **peut** faire un bac pro.

1. JE VAIS ÊTRE BÉNÉVOLE

A Associe les expressions aux définitions.

faire du bénévolat	travailler avec d'autres personnes
distribuer des repas	faire une collecte des produits donnés
collaborer avec des gens	aider gratuitement dans une association
récupérer des dons	ranger les produits dans le magasin
mettre les objets en rayon	donner à manger

B Quels sont leurs projets ? Écris des phrases avec les éléments donnés.

1. mon prof de français / demain
→ Il / Elle va préparer les cours pour la semaine prochaine.
2. moi / pour mon anniversaire
→ Je ....
3. ma famille et moi / pour Noël
→ Nous ....
4. ton / ta meilleur(e) ami(e) / ce week-end
→ Il / Elle ....

C Complète les phrases avec les mots suivants : *prochain, demain, prochaine, jours, dans.*

1. Je vais fêter mon anniversaire .... un mois.
2. La semaine ...., il va participer à un projet écologique.
3. Jeudi ...., nous allons faire du surf.
4. ...., tu vas rencontrer l'équipe de bénévoles.
5. Ils vont aider leurs voisins à déménager dans trois ....

D Écoute et écris le numéro de la réponse en face de la question correspondante.

Piste 6

Tu pars en vacances la semaine prochaine ? ☐
Ton frère est toujours en Belgique pour faire du bénévolat ? ☐
Qu'est-ce que tu vas faire ce week-end ? ☐
Quand est-ce que vous allez récupérer les dons ? ☐
Pourquoi tu ne peux pas aller à l'école demain ? ☐

2. MES PROJETS SOLIDAIRES

A **Lis la page d'accueil du site *Pour les tortues* et dis si les affirmations sont vraies ou fausses.**

Pour les TORTUES

VOLONTARIAT INTERNATIONAL
POUR LES ADOLESCENTS DE MOINS DE 18 ANS

NOUS RECHERCHONS DES ÉCO-VOLONTAIRES POUR NOUS AIDER À PROTÉGER LES TORTUES MARINES EN GRÈCE.

Le projet aura lieu en juillet pour une durée de 3 semaines.

Actions des bénévoles

- Aider les chercheurs à identifier et mesurer des tortues femelles.
- Aider à protéger les nids sur les plages.
- Aider les bénévoles à soigner des animaux blessés.
- Aider à nettoyer les plages.

Conditions pour participer

- Il faut être âgé(e) de 14 ans minimum.
- On doit avoir une bonne condition physique.
- Il faut savoir nager.
- C'est nécessaire de suivre une formation d'une semaine.

	VRAI	FAUX
1. Ce projet solidaire a lieu en automne.	❐	❐
2. Les éco-volontaires vont travailler sur la plage.	❐	❐
3. Liam a 13 ans. Il peut participer au projet.	❐	❐
4. Ce n'est pas nécessaire de savoir nager pour participer.	❐	❐
5. Les volontaires doivent suivre une formation.	❐	❐

B **Complète le texte de ce site pour donner envie à d'autres jeunes de devenir bénévoles.**

LE REFUGE DE L'ESPOIR

TU AIMES LES ANIMAUX ? TU AS UN PEU DE TEMPS TOUTES LES SEMAINES ? NOUS RECHERCHONS DES BÉNÉVOLES POUR
....

L'équipe et les chiens de la fourrière ont besoin de vous : aider les vétérinaires à soigner les animaux, accueil des visiteurs, nettoyage des cages, aider les salariés à rechercher des propriétaires...

Actions des bénévoles

- Aider ....
- Aider ....
- Aider ....
....
- Aider ....

Conditions pour participer

- Il faut ....
....
- C'est nécessaire ....
....
....

1. QU'EST-CE QUE JE SAIS FAIRE ?

A Réécris les phrases avec la personne demandée.

1. Ils savent parler japonais.
→Il sait parler japonais.
2. Nous connaissons bien nos voisins.
→Je ....
3. Elles connaissent ce poème par cœur.
→Vous ....
4. Il connaît tous les joueurs du club de foot.
→Tu ....
5. Vous ne savez pas cuisiner.
→Elle ....

B Complète les phrases avec les verbes *savoir* ou *connaître* au présent.

1. Je .... jouer de la guitare.
2. Il .... des séries françaises.
3. Tu ne .... pas tes nouveaux voisins.
4. Mon père .... bricoler : il .... tout : l'électricité, les voitures, la peinture !
5. Ma grand-mère ne .... pas parler anglais.
6. Je .... beaucoup de danses différentes.

C Piste 7

1. Écoute la présentation de la famille Baldo et écris à quel membre de la famille correspond chaque profil.

Profil linguiste	Profil manuel	Profil artistique	Profil sportif
....	....	....	....

2. Écoute encore la présentation de la famille Baldo. Est-ce qu'il y a quelque chose qu'ils ne savent pas faire ou qu'ils ne connaissent pas ?

M. Baldo → Il ne connaît rien à l'art.
.... → ....
.... → ....
.... → ....

2. ÉCHANGE DE SERVICE

A Entoure la bonne réponse.

1. Lili ne sait pas **à** - **Ø** - **avec** nager. Elle va **à** - **Ø** - **avec** apprendre **à** - **Ø** - **avec** nager. Je vais aider **à** - **Ø** - **avec** Lili.
2. Je vais **à** - **Ø** - **avec** apprendre **à** - **Ø** - **avec** tricoter **à** - **Ø** - **avec** ma tante.
3. Tu aides **à** - **Ø** - **avec** tes parents **à** - **Ø** - **avec** nettoyer leur voiture.
4. L'association aide **à** - **Ø** - **avec** les migrants **à** - **Ø** - **avec** apprendre **à** - **Ø** - **avec** le français.
5. Les volontaires vont aider **à** - **Ø** - **avec** des enfants **à** - **Ø** - **avec** partir en vacances.
6. Ma mère aide **à** - **Ø** - **avec** mon frère **à** - **Ø** - **avec** faire ses devoirs.
7. Il faut **à** - **Ø** - **avec** apprendre **à** - **Ø** - **avec** par cœur **à** - **Ø** - **avec** la chanson.
8. Le conseiller d'orientation va **à** - **Ø** - **avec** t'aider **à** - **Ø** - **avec** trouver des études intéressantes.

B Mets les lettres dans le bon ordre pour trouver des activités.

RETICROT T _ _ _ _ _ _ _

BEUQFIRAR F _ _ _ _ _ _ _ _

AGREN N _ _ _ _

SARDEN D _ _ _ _ _

LOREBCIR B _ _ _ _ _ _ _

RENSESID D _ _ _ _ _ _ _

ODURCE C _ _ _ _ _

NIPREDE P _ _ _ _ _ _

Piste 8

C Écoute Alix parler de sa meilleure amie. Qu'est-ce qu'elle sait faire ? Qu'est-ce qu'elle connaît ? Coche les bonnes cases.

❐ 

❐ 

❐ 

❐ 

❐ 

❐ 

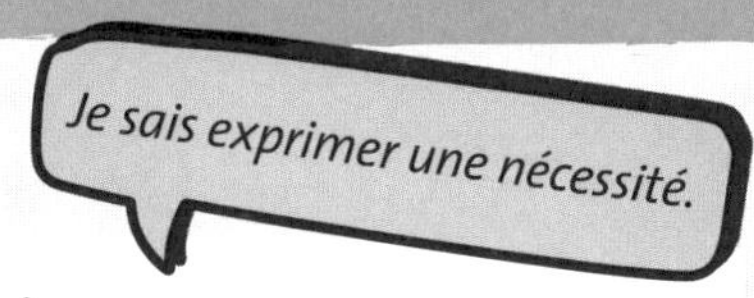

1. Complète avec les expressions suivantes : *il faut, c'est nécessaire, pour.*

.... devenir traducteur, ... parler deux langues et ....
de faire des études de traduction.
.... aimer l'histoire et .... d'étudier cinq années à l'université
.... travailler comme archéologue.

Je sais parler des études et des métiers.

2. Associe les mots aux définitions.

Conseiller d'orientation	Homme qui écrit des articles dans les médias
Baccalauréat	Femme qui travaille dans un salon de coiffure
Bénévole	Personne qui aide les élèves à choisir leurs études
Coiffeuse	Examen à la fin du lycée
Journaliste	Personne qui participe à des projets solidaires
Licence	Bac + 3

Je peux faire des projets.

3. Complète les phrases avec les marqueurs temporels du futur : *prochain, prochaine, dans, demain* et les verbes au futur proche : *faire, partir, participer, réserver.*

a. La semaine ...., nous .... du ski en famille.

b. .... cinq jours, mon ami .... en vacances chez ses grand-parents.

c. Samedi ...., tu .... à un projet solidaire.

d. Aujourd'hui, je ne peux pas aller à la gare, mais .... je .... mon billet de train.

Je peux parler de mes capacités et connaissances.

4. Entoure la bonne forme verbale.

a. Je **sais** - **connais** par cœur tout le lexique de l'unité 2.

b. Elle **ne sait pas** - **ne connaît pas** les associations dans son quartier.

c. Tu **sais** - **connais** jouer au volley.

d. Il **ne sait pas** - **ne connaît pas** parler allemand.

e. On **sait** - **connaît** jouer d'un instrument de musique.

UNITÉ 3
SUR LA ROUTE

La Petite-France, Strasbourg

Que sais-tu de Chloé ?

Complète les informations sur Chloé.

a. Dans quelle ville elle habite ? ....

b. Quelle est sa nationalité ? ....

c. Où se trouve sa ville ? ....

d. Écris trois pays qu'elle a visités. ....

e. De quoi parle-t-elle sur son blog ? ....

1. LE PASSÉ COMPOSÉ AVEC *AVOIR*

A Passé composé ou présent ? Écoute et souligne la phrase entendue.

Piste 9

1. Je mange du saumon. - J'ai mangé du saumon.
2. J'adore ce quartier. - J'ai adoré ce quartier.
3. Je fais du cheval. - J'ai fait du cheval.
4. Je visite le centre-ville. - J'ai visité le centre-ville.
5. Je goûte une spécialité. - J'ai goûté une spécialité.

B Associe les débuts aux fins des phrases.

Tu	as fait un blog sur tes voyages.
J'	ont visité toute l'Amérique du Sud.
Mon frère et moi	ai vu des animaux sauvages.
Mes parents	a mangé mes gâteaux.
Le cheval	avons adoré la cuisine locale.

C Réécris les phrases au passé composé.

1. J'adore mon voyage en Chine. → ....
2. Tu fais beaucoup d'excursions. → ....
3. Nous visitons le centre-ville. → ....
4. Elles voient des paysages extraordinaires. → ....
5. On goûte des plats typiques. → ....

D Chloé raconte sa semaine à Strasbourg. Fais des phrases au passé composé avec les éléments donnés.

1. dans le parc / avec mes amis / faire du vélo
   Avec mes amis, nous avons fait du vélo dans le parc.
2. en bateau / visiter / le quartier de la Petite France / avec mes parents
   ....
3. manger / dans une boulangerie / un kougelhopf / à 16 h
   ....
4. le Parlement européen / voir / avec ma classe / mardi
   ....

2. J'AI ADORÉ MES VACANCES

A **1. Quelles activités peut-on faire dans ces villes en France ? Coche les bonnes cases pour chaque ville.**

	Paris	Chamonix	Cannes (Côte d'Azur)
Aller à la mer			
Visiter la tour Eiffel	✔		
Voir le Mont-Blanc			
Faire du chien de traîneau			
Assister à un ballet à l'opéra			
Se baigner			
Faire du ski			
Visiter des musées			
Voir des acteurs célèbres au Festival du cinéma			
Faire du bateau			

Piste 10

2. Écoute Max parler de ses vacances idéales. Quelle est la meilleure destination pour lui : Paris, Chamonix ou Cannes ?

Max pourrait partir en vacances à .... parce qu'il ....

....

B **Un copain français veut venir avec sa famille dans ta ville pour les vacances d'été. Réponds à son message.**

De : hugomail@reporter.fr
Objet : Vacances d'été

Salut !

Mes parents veulent faire un beau voyage pour les vacances d'été. Chaque membre de la famille propose une destination et moi, je veux proposer ta ville mais je ne sais pas trop quoi dire sur ta région. Qu'est-ce que tu me conseilles ? Qu'est-ce qu'on peut faire et visiter chez toi ?

Merci pour ton aide !

De :
Objet : Re : Vacances d'été

1. QUEL TEMPS FAIT-IL ?

A Écris le contraire.

1. Il fait froid. ≠ ....

2. Il fait beau. ≠ ....

3. Il y a des nuages. ≠ ....

B Devinettes. Retrouve la saison.

Je commence en juin et je finis en septembre. Pendant que je suis là, il fait beau et chaud. Je suis la saison préférée des Français parce qu'ils peuvent partir en vacances à la mer.
Qui suis-je ?
....

Je commence en septembre et je finis en décembre. Pendant que je suis là, il ne fait pas très beau, il fait un peu froid et il pleut, la nature prend des couleurs extraordinaires : orange, rouge, jaune et violet.
Qui suis-je ?
....

Je commence en décembre et je finis en mars. Pendant que je suis là, il fait froid et il neige à la montagne. Les Français m'aiment parce qu'on peut faire du ski pendant les vacances de Noël.
Qui suis-je ?
....

Je commence en mars et je finis en juin. Pendant que je suis là, il ne fait pas froid, mais il ne fait pas très chaud. Il y a beaucoup de fleurs et la nature se réveille.
Qui suis-je ?
....

C Écoute la météo. Associe les symboles aux villes (attention ! il y a un symbole en trop) et écris la température.

Piste 11

a. b. c. d. e.

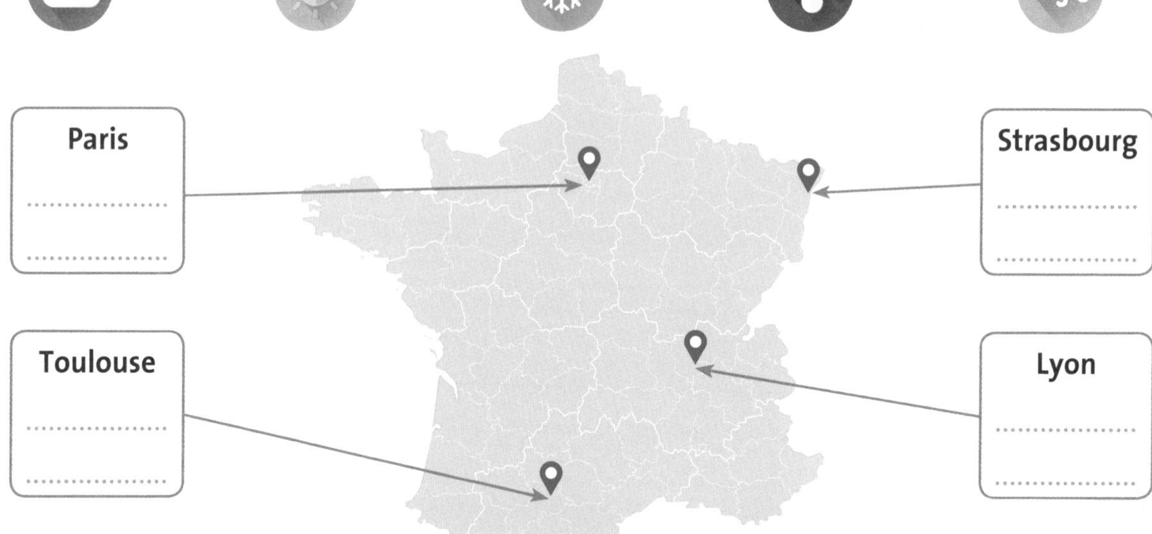

2. VOYAGES ET PAYSAGES

A **Retrouve les noms de six paysages en associant ces pièces de puzzle.**

PL... C...E ...ÔT... F...ÊT ...AGE ...AC

MON... ...IÈR... L... RIV...E ...OR... ...TAGNE

1. .... 3. .... 5. ....

2. .... 4. .... 6. ....

B **Mathilde raconte ses vacances en Sicile à son amie. Écoute le dialogue et coche les bonnes réponses.**

Piste 12

1. Mathilde a aimé ses vacances en Italie. VRAI ❒ FAUX ❒
2. Il a fait beau. VRAI ❒ FAUX ❒
3. Quelles activités a fait Mathilde ?

❒ voir des sites archéologiques ❒ visiter des villages ❒ faire du vélo

❒ faire une randonnée ❒ faire du bateau ❒ se baigner à la mer

4. Quels plats Mathilde a mangé ?

❒ du poisson ❒ des pizzas ❒ des pâtes ❒ de la glace

C **À l'aide des photos et des expressions, raconte sur ton blog les dernières vacances de tes grands-parents au Viêt Nam.**

visiter des pagodes · faire du snorkeling · voir des rizières · essayer le taï-chi · goûter des plats locaux · faire de la randonnée · faire des balades en bateau

1. QU'EST-CE QU'ON PEUT FAIRE ?

A **1. Lis l'affiche du centre de loisirs du parc et coche les affirmations qui sont vraies.**

- ❒ C'est un programme pour les jeunes.
- ❒ On peut apprendre à faire du skate.
- ❒ On peut faire du ski.
- ❒ On peut assister à des spectacles.
- ❒ On peut aller au cinéma.
- ❒ On peut réserver par téléphone.

2. Écris quelques conseils à l'aide des étiquettes.

prendre des gants pour aller à la patinoire

réserver votre place avant le 20 décembre

prendre le tram ou le bus pour arriver au centre

B **Entoure la bonne préposition.**

1. Le mieux, c'est **de** - **pour** - **à** faire du camping sur la plage.
2. Le plus intéressant **de** - **pour** - **à** découvrir les traditions en Alsace, c'est **de** - **d'** - **pour** visiter le musée alsacien à Strasbourg.
3. Quand il fait chaud, l'idéal **de** - **d'** - **pour** se rafraîchir, c'est **de** - **d'** - **pour** aller à la piscine du Wacken.
4. L'office de tourisme conseille **de** - **pour** - **aux** familles **de** - **d'** - **pour** assister aux concerts de Noël.

2. ÇA SE TROUVE OÙ ?

A **1. Écris au moins 6 phrases pour décrire ce paysage.**

2. Où se trouve le trésor ? Écoute et fais une croix pour le signaler sur l'illustration.

Piste 13

B **Entoure les 9 adjectifs qui se placent normalement devant les noms.**

exotique
magnifique multicolore
vieux jeune parfumé délicieux
chaud idéal génial grand petit
mauvais intéressant beau
traditionnel agréable bleu sportif
difficile nouvelle joli

C **Réécris les phrases avec le ou les adjectifs. Fais attention à sa / leur place.**

1. C'est un jardin **(beau)**. → C'est un beau jardin.
2. Nous avons fait un voyage **(intéressant)**. → ....
3. J'ai fait des photos **(belles)**. → ....
4. Il mange une pizza **(grande)**. → ....
5. C'est une idée **(mauvaise)**. → ....
6. On a visité le marché **(vieux)**. → ....
7. Vous goûtez des plats **(traditionnels)**. → ....
8. J'ai vu des fruits **(jolis – exotiques)**. → ....

Je peux raconter au passé.

1. Conjugue les verbes au passé composé.

Pendant les vacances, nous (**voyager**) .... au Canada.
J'(**adorer**) .... les paysages. Nous (**visiter**) .... des endroits magnifiques. Mon grand frère (**faire**) .... de la motoneige et moi, j'(**faire**) .... du chien de traîneau.
Nous (**voir**) .... les chutes du Niagara et j'(**manger**) .... beaucoup de pancakes !

Je peux parler de la météo.

2. Écris quel temps et quelle température il fait dans chaque ville.

Québec (Canada)	Rome (Italie)	Bombay (Inde)
9°	15°	28°
....	....	....
....	....	....

Je peux donner des conseils.

3. Complète les conseils du blog d'Emma avec : *le mieux, le plus, je conseille, l'idéal.*

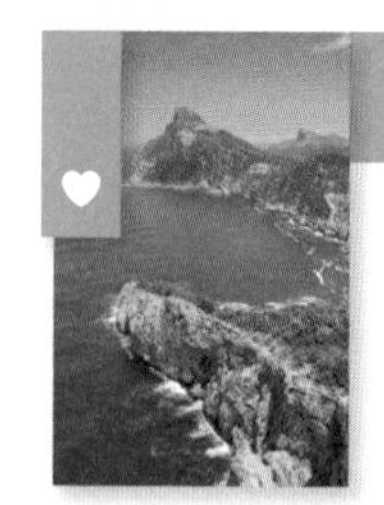

QUELQUES CONSEILS POUR VISITER MON ÎLE PRÉFÉRÉE : MAJORQUE

.... aux touristes de visiter le Cap de Formentor. .... simple, c'est de prendre un bus de Port Pollensa à destination de Formentor. La route est magnifique : c'est .... pour faire des photos « cartes postales ».
Et si vous voulez vous baigner dans une eau turquoise, ..., c'est d'aller à la plage Cala Formentor, la plus belle plage de Majorque !

4. Barre l'adjectif qui est mal placé dans la phrase.

a. J'ai visité un **grand** / **naturel** parc **grand** / **naturel**.

b. C'est un musée **historique** / **nouveau** avec des objets **intéressants** / **vieux** pour découvrir les traditions.

c. Hong-Kong est une **belle** / **moderne** ville avec des tours **belles** / **modernes**.

d. Nous avons fait une **sportive** / **petite** randonnée dans les montagnes.

e. J'ai acheté des **jolis** / **colorés** tissus **jolis** / **colorés**.

UNITÉ 4
RECYCLONS !

↑Vue d'Abidjan

Que sais-tu de Moussa ?

Complète les informations sur Moussa.

a. Dans quel pays vit-il ? ....

b. Dans quelle ville habite-t-il ? ....

c. Quelle est sa nationalité ? ....

d. Écris deux choses qui l'intéressent. ....

e. De quoi parle-t-il sur son blog ? ....

1. JE TRIE MES DÉCHETS

A **Écoute le dialogue et réponds aux questions.**

Piste 14

	VRAI	FAUX	ON NE SAIT PAS
1. Séraphine trie ses déchets.	❒	❒	❒

2. Dans quelle poubelle la famille de Séraphine jette les déchets en plastique et en carton ?

....

3. Où se trouve le bac à compost ?

....

4. Quels déchets sont utilisés pour faire le compost ?

❒ ❒ ❒ ❒

	VRAI	FAUX	ON NE SAIT PAS
5. Il y a une poubelle pour le verre chez Séraphine.	❒	❒	❒

B **Associe les débuts aux fins des phrases.**

1.	Nous...	☐	... jette son chewing-gum par terre.
2.	Camille...	☐	... jetons les piles dans le bac de collecte du supermarché.
3.	Moi, je...	☐	... ne jettes pas ton sac plastique dans la mer.
4.	Les Japonais...	☐	... jette toujours mes déchets à la poubelle.
5.	Tu...	☐	... ne jettent rien dans la rue.

C **Pascal explique les bons gestes à adopter pour nos déchets. Complète le texte avec les mots suivants : *recycler*, *en* (x 2), *métal*, *déchets*, *jeter*, *tri*.**

Nous pouvons tous faire quelque chose pour l'environnement.
Tout d'abord, il ne faut rien .... dans la rue ! J'utilise toujours les poubelles publiques.
Ensuite, à la maison, il y a différents bacs pour faire le .... sélectif !
Par exemple, on met les bouteilles .... plastique, les papiers, le .... et les emballages .... carton dans le bac jaune. Comme ça, on peut .... ces produits, c'est-à-dire réutiliser les matériaux.
Enfin, je fais attention à limiter mes .... ! En France, un habitant produit 1 kg de déchets par jour : c'est trop !

2. LES ÉNERGIES VERTES

A Lis les définitions et retrouve quatre moyens de produire de l'énergie propre.

VERTICAL

1. Grâce à lui, on peut transformer l'énergie de l'eau en électricité.

HORIZONTAL

2. Grâce à elle, on produit de la lumière sur notre vélo.
3. Grâce à lui, on utilise l'énergie du soleil.
4. Grâce à elle, on peut transformer l'énergie du vent en électricité.

B Quel véhicule est le moins polluant ? Entoure le numéro et justifie ta réponse comme dans l'exemple.

1. La motoneige

(2.) Le traîneau

Le traîneau pollue moins parce qu'il utilise la traction animale comme énergie.

3. Le vélo

4. La voiture

....

....

....

5. Le bateau à voile

6. Le yacht

....

....

....

7. La charrue

8. Le tracteur

....

....

....

1. LES MOTS INTERROGATIFS

A Coche la réponse qui correspond à la question.

1. C'est fait avec quoi ?
- ❐ C'est fabriqué avec des vieux pots de confiture en verre !
- ❐ Tu découpes différentes formes et tu les colles.

2. Tu as fait comment pour les couleurs ?
- ❐ J'ai utilisé de la peinture.
- ❐ Je suis allée à la librairie.

3. Est-ce que c'est facile à fabriquer ?
- ❐ C'est de la récup', j'ai pris des cartons d'emballage.
- ❐ Oui ! Très facile : il faut juste être patient.

4. Tu as trouvé cette idée où ?
- ❐ Dans un livre avec plein d'idées créatives.
- ❐ J'ai récupéré des pailles en plastique.

B Réécris les questions avec *est-ce que*.

1. Tu aimes dessiner ? → Est-ce que tu aimes dessiner ?

2. C'est difficile à faire ? → ....

3. Tu as créé ce bijou toi-même ? → ....

4. Tu es créative ? → ....

5. Tu aimes ma nouvelle déco ? → ....

6. On peut utiliser des bouteilles d'eau ? → ....

C Regarde les photos et propose des questions à l'aide de ces réponses.

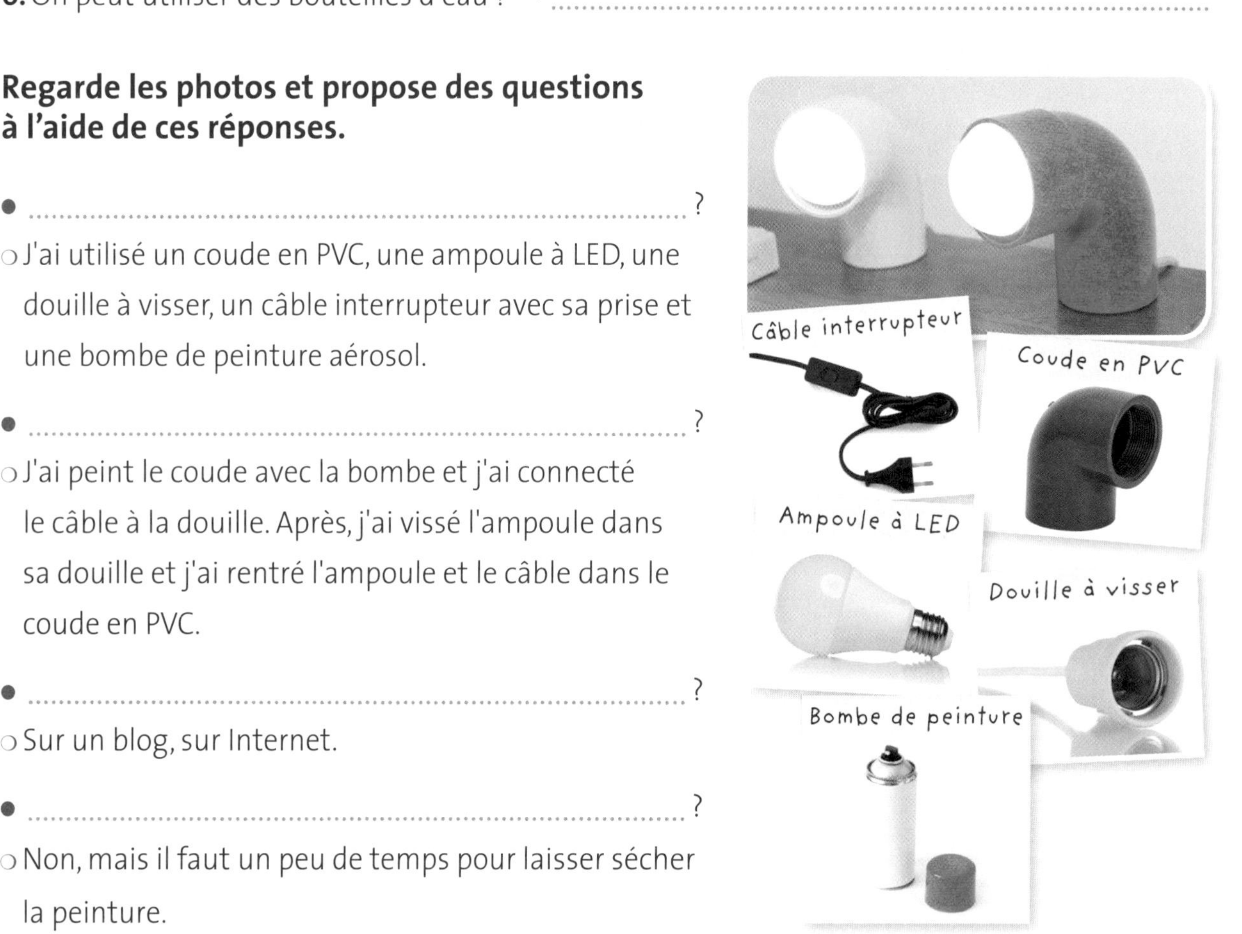

- .... ?
- ○ J'ai utilisé un coude en PVC, une ampoule à LED, une douille à visser, un câble interrupteur avec sa prise et une bombe de peinture aérosol.

- .... ?
- ○ J'ai peint le coude avec la bombe et j'ai connecté le câble à la douille. Après, j'ai vissé l'ampoule dans sa douille et j'ai rentré l'ampoule et le câble dans le coude en PVC.

- .... ?
- ○ Sur un blog, sur Internet.

- .... ?
- ○ Non, mais il faut un peu de temps pour laisser sécher la peinture.

2. SOYONS CRÉATIFS !

A **1. Écris le nom des outils. Tu peux t'aider d'un dictionnaire.**

2. Quel(s) objet(s) pourrais-tu fabriquer avec ces outils ? ....

....

B **1. Complète les instructions de Nina avec des connecteurs.**

On la fabrique comment ? C'est facile et rapide !

.................................., tu vas peindre le couvercle du pot en verre !

.................................., tu colles le bouchon en plastique à l'intérieur du couvercle.

.................................., tu colles ta figurine sur le bouchon en plastique [...].

.................................., il faut ajouter des paillettes et de l'eau !

2. Devine quel est l'objet que Nina propose de fabriquer.

❒ 

❒ 

❒ 

3. Maintenant écoute le tutoriel complet de Nina pour vérifier tes réponses.

Piste 15

1. LES PRONOMS COD

A Lis les devinettes. De quoi s'agit-il ?

On la porte courte ou longue.

Les hommes élégants la mettent avec une cravate.

Je les répare quand il y a un trou.

Tout le monde l'aime parce que c'est confortable.

la chemise

les chaussettes

la jupe

le jean

B Complète le dialogue avec les pronoms suivants : *le*, *la*, *l'* ou *les*.

- Ma chérie, tu as trié tes vieux vêtements pour la collecte ?
- Oui, maman, regarde ! Mon manteau en laine, je .... donne. Ces chaussures de sport : elles sont trop petites, je .... donne aussi.
- Et cette jupe ? Tu ne .... portes plus maintenant ?
- C'est vrai, mais je .... adore... Je peux .... garder, s'il te plaît ?
- D'accord, si tu veux !
- Enfin, je peux donner le pull vert.
- Le pull vert ? Tu veux .... donner ? Mais mamie .... a fait spécialement pour toi !

C Mathis et Karim n'aiment pas les mêmes vêtements. Fais des phrases en utilisant des pronoms compléments, comme dans l'exemple.

Mathis ☺ Karim ☹

Mathis ☹ Karim ☺

Mathis ☺ Karim ☹

Mathis ☹ Karim ☺

Le pantalon à carreaux, Mathis le déteste mais Karim l'aime bien.

....

....

....

2. À VENDRE !

A **Entoure la forme correcte du verbe *vendre*.**

1. Nous **vend** - **vendons** notre collection de chapeaux.
2. Tu **vends** - **vend** tes vêtements sur Internet.
3. Ce magasin **vend** - **vendre** des vêtements neufs.
4. Je **vends** - **vende** mon anorak.
5. Vous **venez** - **vendez** votre robe.
6. Ils **vendent** - **vends** leurs vêtements trop petits.

B
Piste 16

1. Qui vend quoi ? Écoute les descriptions et écris le numéro du document audio qui correspond à chaque photo. Attention, il y a une photo de plus !

2. Imagine l'annonce pour vendre le vêtement qui reste.

Taille : .... Prix : .... État : ....
Description : ....
....

C **Complète le texte avec : *ce*, *cette*, *cet* ou *ces*.**

J'ai fait du tri dans ma garde-robe ! Je vais donner à la collecte .... T-shirts trop petits pour moi. Et puis, je donne aussi .... chemise à motifs. Je n'aime pas la forme. Mais .... pull et .... chaussures sont à recycler. Ils sont trop abîmés. Enfin, je vais donner .... anorak ! Je ne vais pas le porter .... hiver parce que j'ai acheté un nouveau manteau.

1. Conjugue les verbes *jeter* ou *vendre* au présent.

Je peux conjuguer les verbes « jeter » et « vendre ».

a. Cette école est écolo ! Les enfants .... leurs déchets dans différentes poubelles après les cours et le distributeur automatique .... des produits bio.
b. Les voisins .... tous leurs vêtements d'hiver à petits prix parce qu'ils vont déménager sur l'Île de la Réunion.
c. Un Français sur trois .... ses déchets par la fenêtre de la voiture.
d. Nous .... sur Internet des objets de récupération fabriqués à partir de déchets.

2. Entoure l'intrus dans chaque liste.

Je peux parler des travaux manuels et créatifs.

a. couper - coller - feutre - peindre
b. ciseaux - aluminium - verre - plastique
c. pinceau - dessiner - colle - fil
d. découper - fabriquer - peinture - décorer
e. à pois - en carton - uni - à rayures

3. Complète les réponses avec : *le*, *la*, *les* ou *l'*.

Je sais utiliser les pronoms COD.

a. • Est-ce que tu mets le T-shirt rouge ? ○ Oui, je .... mets pour faire du sport.
b. • Tu as acheté où ton pull bleu ? ○ Je .... ai acheté dans une petite boutique.
c. • Tu décores la jupe avec quoi ? ○ Je .... décore avec des bandes de différents tissus.
d. • Tu répares tes vieilles chaussures ? ○ Je .... répare quand elles ne sont pas trop abîmées.

4. Réécris les phrases en mettant les noms au pluriel au singulier ou les noms au singulier au pluriel.

Je sais utiliser les démonstratifs.

a. Je n'aime pas ces vêtements. → ....
b. Je me sens bien dans ce T-shirt. → ....
c. Je vends ces anoraks. → ....
d. Je ne porte pas ces jupes. → ....
e. Je ne veux pas jeter ce pull. → ....
f. J'ai acheté ces panneaux solaires à un bon prix. → ....

UNITÉ 5
CONNECTÉS

Que sais-tu d'Émilie ?

Complète les informations sur Émilie.

a. Dans quelle ville habite-t-elle ?..........

b. Quelle est sa nationalité ?..........

c. Quelle application utilise-t-elle beaucoup avec ses amis ?..........

d. Écris trois choses qu'elle aime...........

e. De quoi parle-t-elle sur son blog ?..........

1. MES OBJETS DU QUOTIDIEN

A **Complète la grille de mots croisés avec les noms d'objets de ton quotidien.**

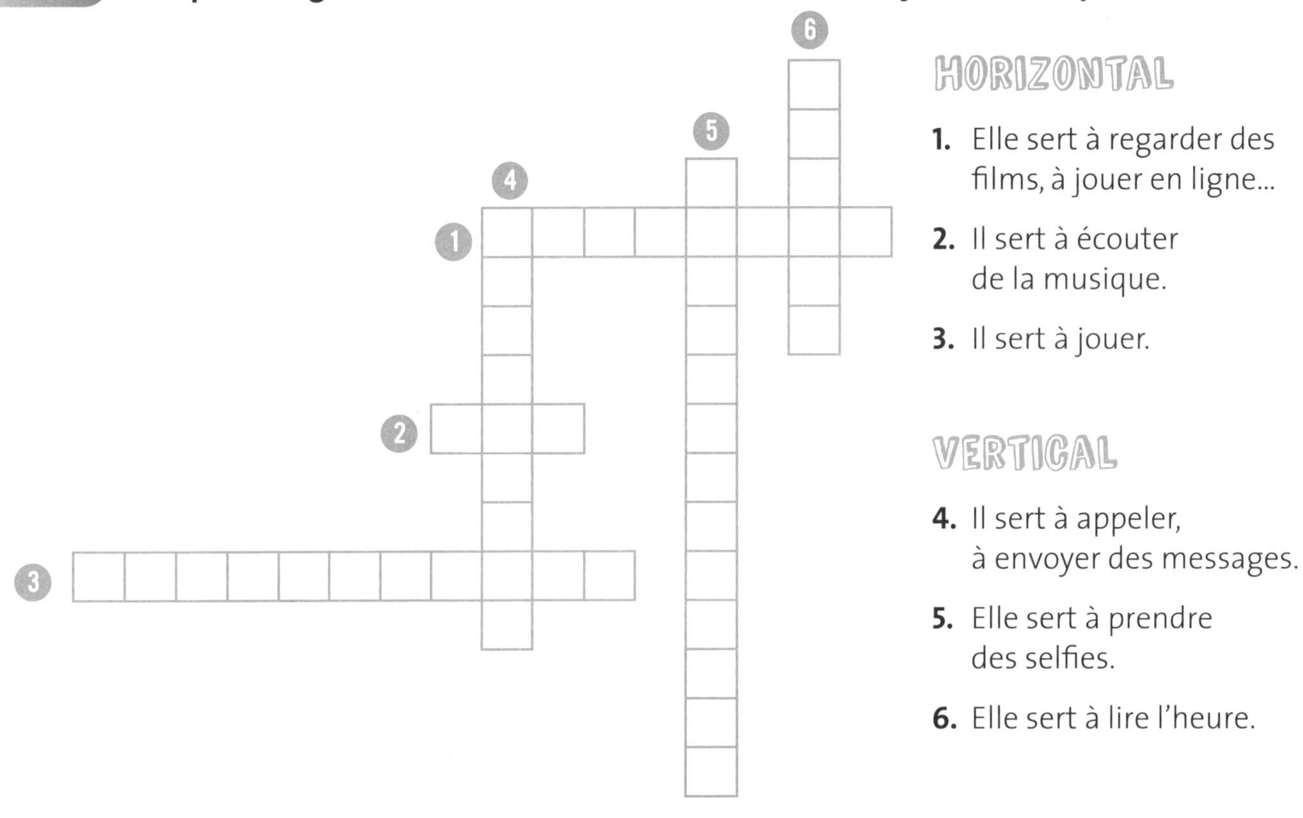

HORIZONTAL

1. Elle sert à regarder des films, à jouer en ligne...
2. Il sert à écouter de la musique.
3. Il sert à jouer.

VERTICAL

4. Il sert à appeler, à envoyer des messages.
5. Elle sert à prendre des selfies.
6. Elle sert à lire l'heure.

B **Choisis trois objets de l'activité A et décris-les. Tu peux utiliser...**

C'est en plastique — C'est génial pour — C'est utile pour — Je m'en sers pour

2. L'INTERDICTION

A **Écoute ce dialogue et coche la bonne case. Puis corrige les phrases fausses.**

Piste 17

DANS LE MUSÉE	VRAI	FAUX
1. Il est interdit de téléphoner.	❒	❒
....		
2. On n'a pas le droit de prendre des photos.	❒	❒
....		
3. On peut utiliser des perches à selfie.	❒	❒
....		
4. Il est interdit de manger et de boire.	❒	❒
....		
5. On n'a pas le droit de parler.	❒	❒
....		

B **Qu'est-ce que tu n'as pas le droit de faire à l'école ? Utilise *On n'a pas le droit de* ou *Il est interdit de* pour décrire ces interdictions.**

1. Pendant les cours, ...
....
....

2. En classe, ...
....
....

3. Dans la cour de récréation, ...
....
....

4. Pendant un examen, ...
....
....

3. LE FUTUR PROCHE

A **Associe une forme verbale à un pronom personnel sujet, puis invente la suite de la phrase.**

vais | tu | allez | vas | ils/elles | va
il/elle/on | je | allons | nous | vont | vous

1. ....
2. ....
3. ....
4. ....
5. ....
6. ....

B **Écris trois phrases sur le même modèle pour raconter ton prochain week-end.**

1. INTERNET ET RÉSEAUX SOCIAUX

A Qu'est-ce que tu peux faire avec Internet et les réseaux sociaux ?

regarder envoyer jouer

créer chatter télécharger

1. Je peux regarder des vidéos sur YouTube.
2. ....
3. ....
4. ....
5. ....
6. ....

2. LE PASSÉ COMPOSÉ

A Avec quel auxiliaire les verbes suivants se conjuguent au passé composé ?

1. Place ces verbes dans la bonne colonne :

arriver manger avoir s'habiller choisir naître

être devenir mourir perdre écrire aller

auxiliaire *avoir* + participe passé	auxiliaire *être* + participe passé
manger → mangé	arriver →

2. Puis trouve leurs participes passés dans le nuage de mots et complète le tableau ci-dessus.

ÉTÉ RÉFLÉCHI PERDU MANGÉ ÉCRIT JOUÉ DESCENDU

UTILISÉ ARRIVÉ TROUVÉ MORT EU BU CHOISI ENVOYÉ

HABILLÉ DEVENU NÉ SUIVI ALLÉ

B Complète cette biographie de Squeezie en conjuguant les verbes entre parenthèses au passé composé.

Squeezie, de son vrai nom Lucas Hauchard, est un youtubeur très populaire en France. Ce passionné de jeux vidéo .... **(naître)** en 1996. Il .... **(commencer)** sa première chaîne YouTube consacrée à un jeu de rôle en ligne en 2008 ! Puis, en 2011, il .... **(créer)** sa chaîne actuelle à l'âge de 15 ans. À côté de cette passion, Lucas .... **(continuer)** ses études au lycée et .... **(obtenir)** son baccalauréat en 2013. En décembre 2021, sa chaîne .... **(être)** la chaîne francophone la plus suivie sur YouTube avec 16,5 millions d'abonnés ! En 2020, Squeezie .... **(se lancer)** dans une carrière musicale. Il .... **(aller)** au Japon pour enregistrer son premier album rap. Pendant l'hiver 2021, il .... **(participer)** à une compétition du « meilleur hit des années 2000 ». Avec deux amis, Myd et Krono, ils .... **(écrire)** le titre parodique Time Time en 72 heures. Dès le premier jour, cette chanson .... **(devenir)** la plus écoutée sur les plateformes Spotify et Deezer.

C Vrai ou faux ? Écoute la conversation et coche la bonne réponse.

Piste 18

	VRAI	FAUX
1. Sophie est allée au théâtre.	❒	❒
2. Léo est resté chez lui.	❒	❒
3. Après le film, Sophie est allée voir une expo.	❒	❒
4. Léo a joué en ligne toute la journée.	❒	❒
5. Sophie a vu une star.	❒	❒
6. Sophie a mis des photos sur Facebook.	❒	❒

D Raconte au passé composé une aventure inoubliable que tu as partagée avec un(e) ami(e). N'oublie pas d'utiliser des connecteurs temporels : *d'abord, après, ensuite, puis, finalement...*

....

....

....

....

....

....

1. SUR INTERNET

A **Observe cette infographie et écris des phrases en utilisant les adjectifs indéfinis proposés.**

certains quelques tous plusieurs aucun

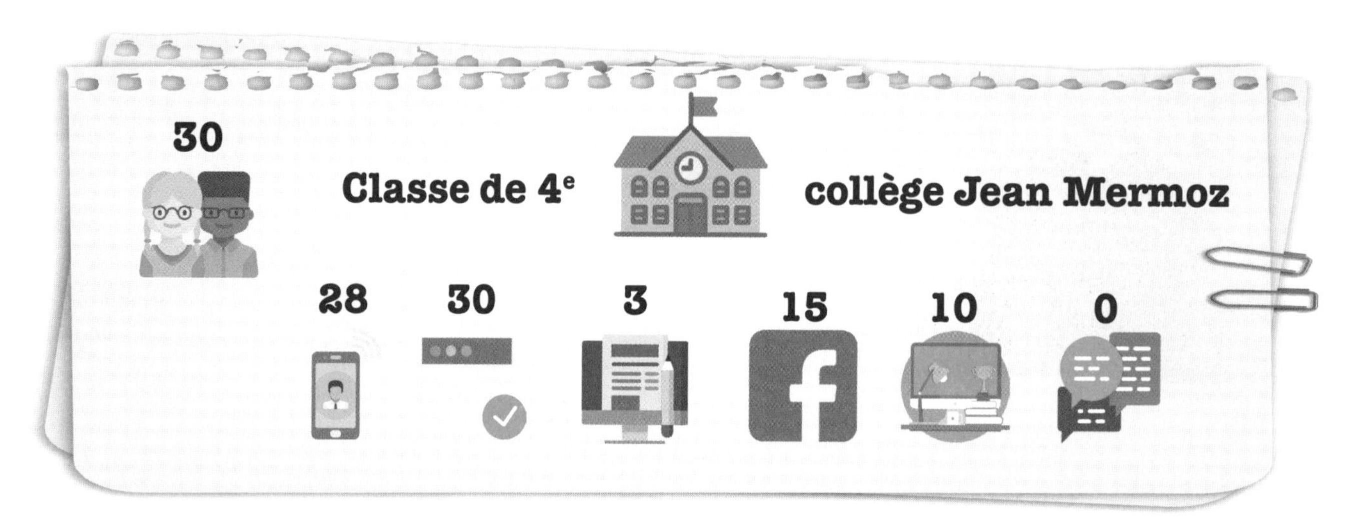

1. avoir un téléphone portable
   Presque tous les élèves ont un téléphone portable.
2. utiliser Internet
3. avoir un blog
4. utiliser Facebook.
5. consulter Internet le soir
6. parler avec des inconnus sur Internet

B **Lis ce blog et donne des conseils.**

www.monblog.fr

Clara, 14 ans
Qu'est-ce que je dois faire pour protéger mon compte sur les réseaux sociaux ?

....

....

Ella, 14 ans
Je vais me créer un compte sur Facebook. Mes parents sont d'accord. Vous pouvez me donner des conseils ?

....

....

Johann, 14 ans
Je reçois beaucoup de publicité dans mes mails. Je ne sais plus comment faire.

....

....

2. LA NÉGATION

A Piste 19 **Écoute les phrases et associe chaque question au numéro correspondant à la réponse.**

1. Tu achètes de la musique sur Internet ?
2. Tu as des problèmes avec cette application ?
3. Tu trouves des informations sur ce site web pour l'exposé ?
4. Quelqu'un a répondu à ton mail d'invitation pour ton anniversaire ?
5. Tu comprends l'exercice de maths ?

➊ ➋ ➌ ➍ ➎

B **Lis les opinions des membres de ce forum et complète le tableau ci-dessous.**

www.bienvenuesurmonforum.fr

UNE JOURNÉE SANS PORTABLE

Demain, c'est la Journée mondiale sans téléphone portable. Qu'en pensez-vous ? Vous allez éteindre votre portable ?

Emma | 06/02 | 12:00
Pour moi aucun problème ! Je n'utilise pas beaucoup mon portable. Je vais l'éteindre demain.

Joan | 07/02 | 14:08
Jamais sans mon portable !! Non je ne vais pas participer à cette journée ! Ça n'a aucun intérêt pour moi.

Paul | 07/02 | 15:35
C'est une très bonne idée !! On n'a pas besoin d'être connecté toute la journée. Une journée sans messages, sans réseaux sociaux. Ce n'est pas si difficile !!

Léa | 07/02 | 16:00
Pourquoi pas !! Une journée sans portable ne changera rien !!

Carla | 07/02 | 18:05
Mes amis et moi, on discute toute la journée sur Messenger, on joue en ligne pendant la récréation. Personne ne va éteindre son portable demain.

	OUI à la journée sans portable	NON à la journée sans portable
Emma		
Joan		
Paul		
Léa		
Carla		

C **Tu n'es pas d'accord pour passer une journée sans téléphone portable, poste ton avis sur le forum.**

Je sais utiliser le futur proche.

1. Mets les verbes entre parenthèses au futur proche.

a. Vous allez changer (**changer**) votre mot de passe immédiatement.
b. Pierre .... (**créer**) une application pour apprendre l'anglais.
c. Sophie et Amélie .... (**rechercher**) une ancienne copine sur Facebook.
d. Nous .... (**acheter**) un nouveau portable pour papa.
e. Je .... (**copier**) la date de notre concert dans notre blog.

Je sais exprimer l'interdiction.

2. Transforme ces expressions pour exprimer une interdiction.

a. Insulter ses camarades / tu → ....
b. Télécharger la photo de quelqu'un sans son autorisation / nous → ....
c. Ouvrir un compte Facebook / les moins de 13 ans → ....
d. Dire des mensonges sur quelqu'un / vous → ....

Je sais utiliser le passé composé.

3. Complète ce texte en conjuguant les verbes entre parenthèses au passé composé.

L'année dernière, j'ai visité (**visiter**) Marseille avec mes parents. On y .... (**aller**), ma mère, mon père, ma sœur et moi. On .... (**se baigner**) dans la mer et on .... (**manger**) des spécialités de la région. Tous les soirs, nous nous .... (**se promener**) en ville. Nous .... (**visiter**) le MUCEM. On a beaucoup aimé ! Le dernier jour avant de partir, on .... (**assister**) à la French Tech Aix-Marseille. Finalement, après une semaine, on .... (**rentrer**) en avion. Le voyage a été super !

Je sais exprimer la négation.

3. Mets ces phrases à la forme négative.

a. Vous avez trouvé **quelque chose** d'amusant dans ce jeu ?
Vous n'avez rien trouvé d'amusant dans ce jeu ?

b. Tu utilises **souvent** Twitter pour donner ton opinion.
....

c. **Quelqu'un** connaît la réponse de cet exercice.
....

d. Il y a **quelque chose** d'intéressant dans ce réseau social.
....

Je sais utiliser les adjectifs indéfinis.

5. Complète chaque phrase avec un des adjectifs indéfinis proposés ! *tout, certain, quelque, aucun.* Attention aux accords !

a. .... adolescent n'aime les mathématiques.
b. .... professeurs sont sympas.
c. .... mes copines ont un portable.
d. .... élèves parlent allemand.

UNITÉ 6
LA MAISON

Centre historique de Rennes

Que sais-tu d'Evann ?

Complète les informations sur Evann.

a. Dans quelle ville habite-t-il ? ....

b. Quelle est sa nationalité ? ....

c. Quelles langues parle-t-il ? ....

d. Écris deux choses qu'il aime. ....

e. De quoi parle-t-il sur son blog ? ....

1. C'EST CHEZ TOI

A **Observe le plan de cette maison et reporte le chiffre correspondant à chaque pièce.**

1. Le salon
2. La salle à manger
3. La chambre des enfants
4. La salle de bain
5. La chambre des parents
6. La cuisine
7. Les toilettes (WC)
8. La terrasse

B **Observe à nouveau le plan de l'activité A et complète le descriptif en utilisant *il y a, il n'y a que / il n'y a pas de.***

Cette maison n'est pas hyper grande : .... deux chambres. Dans la chambre d'enfant, ... seul lit. .... un grand salon et une super grande cuisine. .... une salle de bain, et en plus elle est toute petite. .... une douche mais .... baignoire. .... une terrasse mais .... garage. La maison est meublée, dans les chambres .... des lits mais .... armoires.

C **Et chez toi ? Sur ce modèle, décris ta maison ou ton appartement.**

....

....

....

....

....

2. UN APPART TOUT ÉQUIPÉ

A Piste 20

Quentin veut louer un appartement pour les vacances. Écoute la conversation et réponds aux questions.

1. Pourquoi Quentin veut louer un appartement ? Pour combien de personnes ?

....

2. Coche les équipements qu'il y a dans l'appartement.

télévision	❒	lave-vaisselle	❒	wifi	❒
sèche-cheveux	❒	cheminée	❒	jardin	❒
piscine	❒	chauffage	❒	terrasse	❒
console de jeux	❒	lave-linge	❒	barbecue	❒
micro-ondes	❒	sèche-linge	❒		

3. Qu'est-ce qui ne convient pas à Quentin dans l'appartement ?

....

4. Que lui propose le propriétaire ?

....

5. Est-ce que Quentin va louer l'appartement ? Pourquoi ?

....

B **Lis les définitions et complète les mots croisés.**

HORIZONTAL
1. Tu t'y couches pour dormir
2. Tu l'utilises pour prendre des bains

VERTICAL
3. Elle sert à t'éclairer.
4. Tu peux poser des choses dessus.
5. Tu l'utilises pour conserver la nourriture.
6. Tu l'utilises pour regarder des films.
7. Plusieurs personnes peuvent s'y asseoir ensemble.

1. JE DÉCRIS DES OBJETS

A **Observe et complète ces petites annonces.**

B **À toi maintenant, écris une petite annonce de vente en ligne pour un de tes objets de décoration.**

....

....

2. LES COMPARATIFS

A **Compare ces deux appartements en utilisant :** ***plus... que, moins... que, autant... que, aussi... que.***

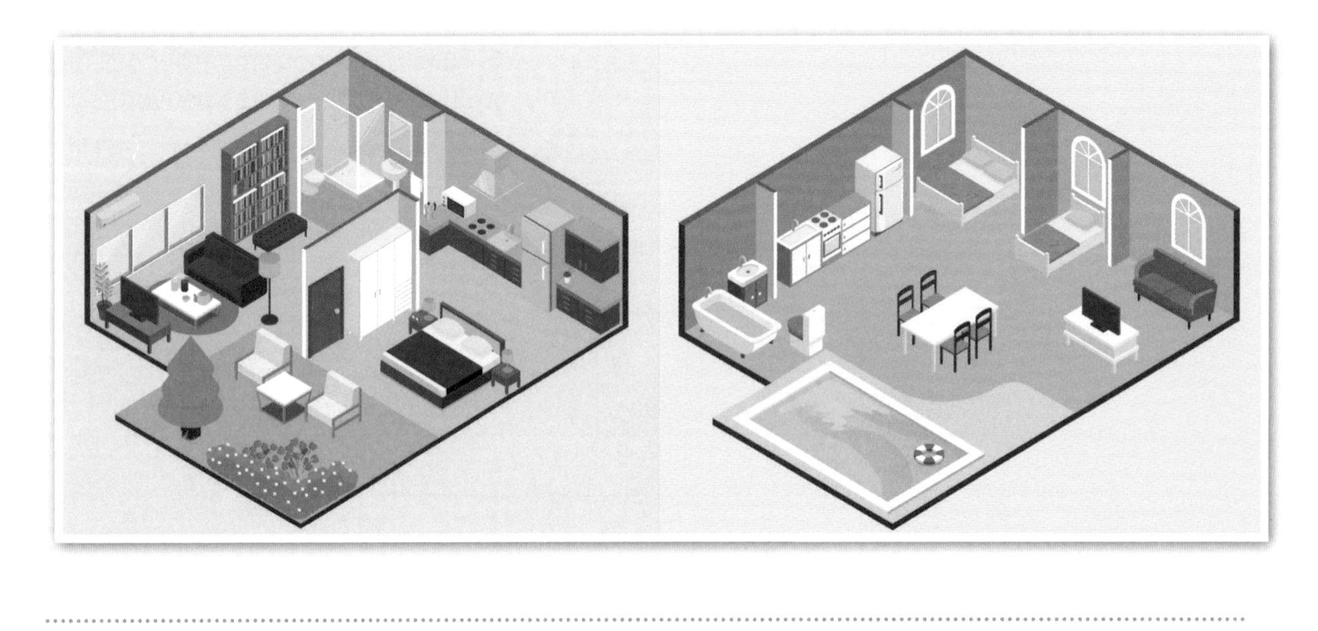

....

....

....

B Avec tes amis, vous jouez à dire des évidences. Complète les phrases suivantes avec les comparatifs qui conviennent.

1. Si l'appartement A est moins grand que l'appartement B, c'est que le B est .... que le A.
2. Si le bureau est plus petit que la cuisine, c'est donc que la cuisine ....
3. Si sa chambre est aussi belle que la mienne, c'est donc que ....

3. LE PRONOM *Y*

A Trouve à quoi fait référence le pronom *y* dans les phrases suivantes, puis réécris la phrase selon le modèle.

Marseille — le salon — ma chambre — à la piscine — ~~la montagne~~

Exemple : On y va chaque hiver. → y = la montagne. On va chaque hiver à la montagne.

1. Nous y allons tous les ans en vacances. C'est une ville magnifique ! → y = ...
   - ....
2. Elle est décorée avec des posters de mes groupes préférés. J'y passe beaucoup de temps.
   → y = ... - ....
3. Le soir, après dîner, nous nous y retrouvons pour regarder la télé. → y = ...
   - ....
4. Avec mes frères, l'été, on y va dès qu'il fait beau. → y = ...
   - ....

4. LES SUPERLATIFS

A Fais des phrases selon le modèle en utilisant les superlatifs.

l'objet — le lieu — l'activité — le film — le livre

Exemple : Hunger Games est le film que j'aime le plus.

B Réécris ces phrases en utilisant des superlatifs.

Exemple : C'est un bon film. → C'est le meilleur !

1. Cet appartement est moche. → ....
2. C'est une ville triste. → ....
3. J'adore ce logement. → ....
4. Cette maison est géniale. → ....
5. C'est un endroit désagréable. → ....

1. JE DOIS TOUT RANGER !

A **Associe chaque verbe avec un complément pour trouver les tâches ménagères.**

ranger | passer (x2) | débarrasser | laver | sortir | mettre | faire

la table | sa chambre | la poubelle | l'aspirateur | la serpillière | son lit | son linge | la vaisselle

B **Observe l'illustration et dis ce qu'Evann va devoir faire pour mettre en ordre la pièce. Aide-toi des illustrations !**

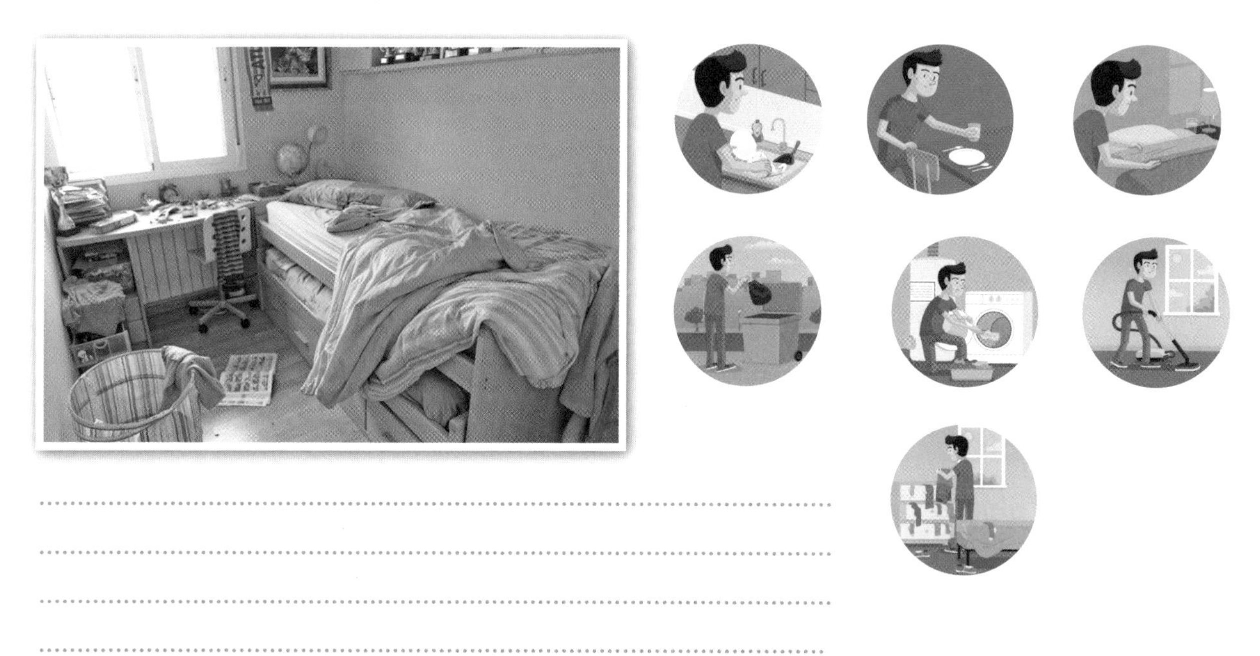

....

....

....

....

2. L'OBLIGATION

A **Mets ces phrases au pluriel.**

1. Tu dois vider la machine et tu dois aussi étendre le linge. → Vous ....
....
2. Je dois nettoyer la douche. → ....
3. Elle doit faire les courses. → ....
4. Il doit passer l'aspirateur. → ....

B **Transforme les phrases de l'activité précédente avec « c'est... qui... » selon le modèle.**

1. C'est moi qui vide la machine et qui étend le linge.
2. ....
3. ....
4. ....

3. TU FAIS QUOI CHEZ TOI ?

A **Écoute ces trois adolescents parler des tâches ménagères et complète le tableau.**

Piste 21

	😄	😠
Clara		
Yanis		
Sophie		

B **Et toi, qu'est-ce que tu aimes le plus ou que tu détestes le plus faire chez toi ?**

J'aime	Je déteste

C **Écoute et complète le calendrier des tâches ménagères de la famille Chopin.**

Piste 22

Nom	Lundi	Mardi	Mercredi	Jeudi	Vendredi	Samedi	Dimanche

Je sais utiliser « il y a / il n'y a que ».

1. Lis la petite annonce et décris le logement.

maison

chambre : 4 salon :1	terrasse : 0 cuisine :1	salle de bain : 1	balcon : 1

Je sais utiliser les comparatifs.

2. Écris des phrases en utilisant le comparatif comme dans l'exemple.

Exemple : Appartement de Rennes (3 pièces) / Appartement de Saint-Malo (3 pièces)

Dans l'appartement de Rennes, il y a autant de pièces que dans l'appartement de Saint-Malo.

a. Evann : faire la vaisselle (❤ ❤ ❤) / ranger sa chambre (❤) ....

....

b. Léa : chambre spacieuse (+) / Jules : chambre spacieuse (+++) ....

....

c. Claire : coussin rouge (❤ ❤) / coussin vert (❤ ❤) ....

....

d. Maison en Bretagne (100 m²) / Maison en Normandie (80 m²) ....

....

Je sais employer le superlatif.

3. Complète les phrases avec un superlatif.

a. Cet été, nous avons logé dans une cabane sur pilotis. C'est .... beau souvenir de ma vie !
b. J'aime bien cet appartement mais pas le salon. C'est la pièce .... lumineuse.
c. C'est ma sœur qui participe .... aux tâches ménagères. Elle ne fait rien !
d. Je trouve que Rennes et Toulouse sont les villes .... agréables pour étudier.

Je sais utiliser le pronom « y ».

4. Souligne l'élément qui se répète et transforme la phrase avec le pronom *y*, comme dans l'exemple.

Je pars en vacances à Rennes. Mes cousins habitent à Rennes.
→ Je pars en vacances à Rennes, mes cousins y habitent.

a. J'adore mon appartement. J'aime être dans mon appartement pour travailler.
b. Nous avons visité Paris cet été. Nous sommes restés un mois à Paris.
c. Nous avons déménagé à Montréal. Nous avons acheté un appartement dans le centre-ville de Montréal.

Je sais exprimer l'obligation avec « devoir + infinitif ».

5. Observe le tableau et dis qui doit faire ces tâches ménagères.

	[repasser]	[aspirateur]	[mettre la table]	[poubelle]
Martin	✘		✘	
Paul et Claire (parents de Martin)		✘		✘

UNITÉ 7
FICTIONS

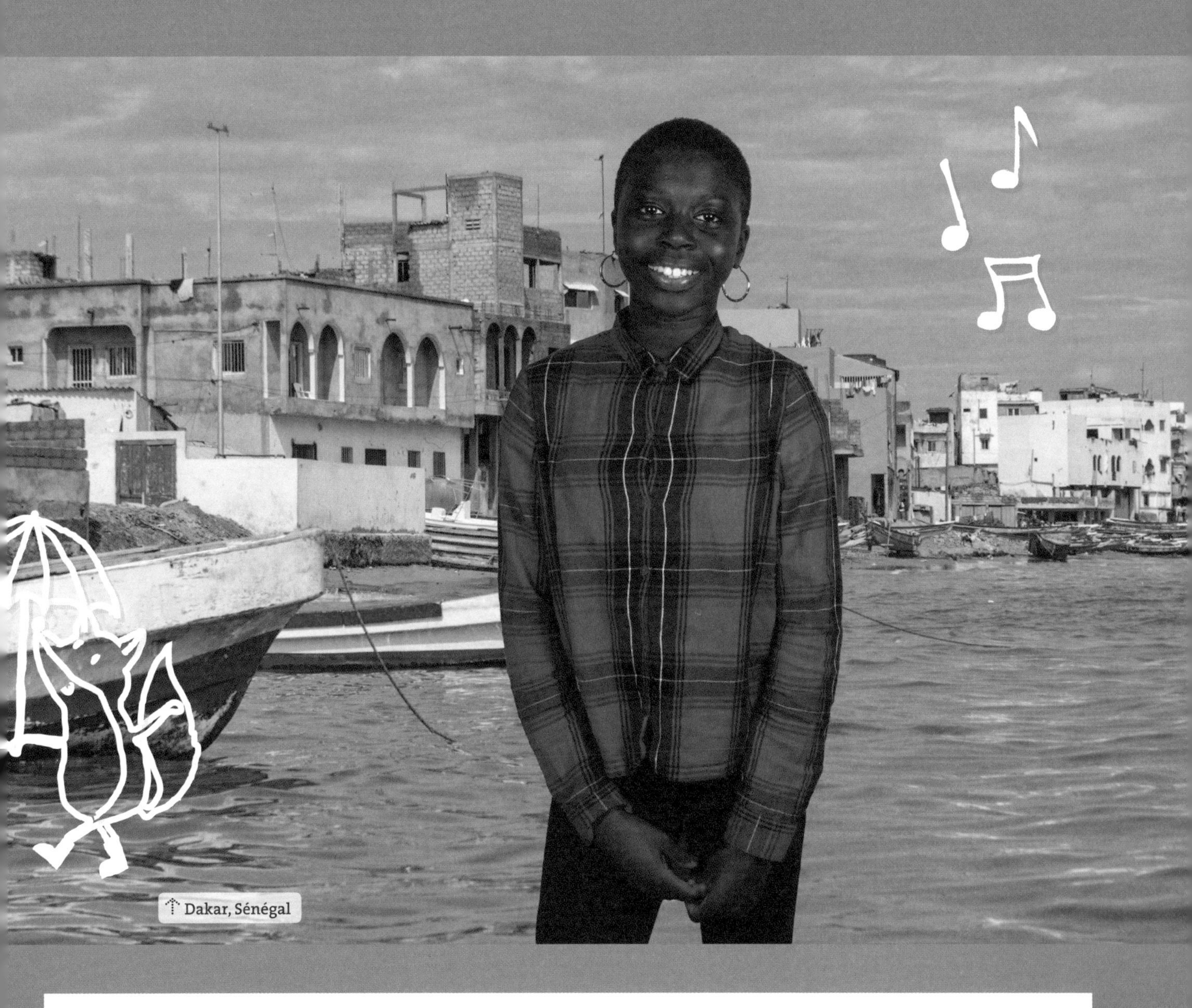

Dakar, Sénégal

Que sais-tu de Fatou ?

Complète les informations sur Fatou.

a. Dans quel pays vit-elle ? ....

b. Dans quelle ville habite-t-elle ? ....

c. Quelle est sa nationalité ? ....

d. Écris deux choses qu'elle aime. ....

e. De quoi parle-t-elle sur son blog ? ....

1. LITTÉRATURE ET CINÉMA

A Piste 23 **Écoute les résumés de cinq romans populaires en France. Retrouve la couverture du livre correspondant à chaque audio puis associe-la avec un genre littéraire.**

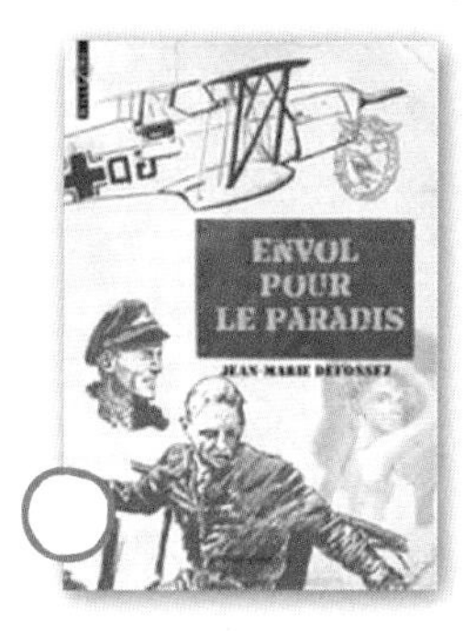

roman historique — science-fiction / fantasy — roman d'amour — roman policier / polar — roman initiatique

B **Que suis-je ? Lis ces devinettes et trouve la bonne réponse. Un indice : on parle de films...**

Exemple : Je suis un petit film. Je dure moins de 20 minutes. → Je suis un court-métrage.

1. À la télévision ou sur Internet, on regarde mes épisodes et on attend avec impatience la prochaine saison. → Je suis ....
2. Avec moi, il n'y a pas d'acteurs à l'écran. Mes personnages et mes scènes sont des images ou des dessins animés. → Je suis ....
3. J'aime vous faire peur ! Pour cela, je choisis des personnages terrifiants, comme des fantômes, des vampires, des zombies ou encore des loups-garous. → Je suis ....

C **Retrouve dans la grille les 15 mots cachés sur le thème des livres et des films. Écris-les sans oublier les accents et les traits d'union.**

E	A	I	M	A	L	A	H	F	R	Y	R	T	D	S	H
C	Y	V	W	V	O	F	C	V	É	L	F	B	R	A	T
U	Y	X	O	E	N	F	D	A	S	T	U	I	A	G	É
H	B	Q	E	N	G	I	X	P	U	J	S	O	M	A	L
A	R	N	C	T	M	C	K	U	M	E	T	G	E	E	É
T	I	X	W	U	É	H	H	R	É	J	J	R	O	K	F
F	N	W	S	R	T	E	A	Y	A	W	O	A	V	K	I
L	H	A	Q	E	R	E	K	Q	O	I	A	P	G	A	L
G	É	U	M	D	A	O	M	M	V	J	A	H	I	U	M
H	R	U	H	H	G	R	O	M	A	N	T	I	Q	U	E
A	O	Q	É	F	E	E	Y	P	I	F	Z	Q	H	A	A
T	I	U	R	B	P	O	L	A	R	I	L	U	M	Z	Y
I	N	C	O	U	V	E	R	T	U	R	E	E	G	E	S
P	E	R	S	O	N	N	A	G	E	J	Z	K	E	T	N
C	O	M	É	D	I	E	Q	O	H	B	F	F	Y	F	S
S	C	I	E	N	C	E	F	I	C	T	I	O	N	E	E

2. QUEL(S) OU QUELLE(S)

A Complète les questions avec les interrogatifs : *quel*, *quelle*, *quels* ou *quelles*.

1. .... est le genre littéraire que tu préfères ?
2. .... est ton film favori ?
3. .... héroïne de Walt Disney chante « Libérée, délivrée » ?
4. .... films sont à l'affiche au cinéma cette semaine ?
5. .... sont les deux séries télévisées que tu aimes le plus ?
6. Les cowboys ou les Indiens : .... personnages tu préfères ?
7. .... genres de romans lis-tu le plus souvent ?

B Maintenant, réponds aux questions de l'activité A.

3. EXPRIMER DES SENTIMENTS

A Un film d'animation a été réalisé en 2015 à partir du livre *Le Petit Prince*, d'Antoine de Saint-Exupéry. Complète les commentaires des spectateurs qui comparent le film au livre.

avoir du mal — se sentir — (ne pas) s'intéresser x2 — (ne pas) avoir envie — avoir peur

1. Moi, ... de regarder ce film. Enfant, j'adorais le livre de Saint-Exupéry. Donc, ça .... beaucoup de voir comment le réalisateur a adapté l'histoire.
2. *Le Petit Prince* ? C'est une histoire pour les enfants. À mon âge, ça .... du tout. En plus, je .... trop vieux pour les films d'animation.
3. J'ai lu le livre à l'école et ça ne m'a pas plu. Alors, ... de détester aussi le film.
4. J'ai vu *Le Petit Prince* au cinéma. Je ne sais pas trop quoi en penser... J'...................... à comprendre pourquoi on a ajouté des personnages qui n'étaient pas dans le livre.

B Écris les phrases au pluriel.

1. Le personnage se sent perdu. → *Les personnages* ....
2. La bande dessinée m'intéresse beaucoup. → *Les bandes dessinées* ....
3. J'ai envie de connaître la suite. → *Nous* ....
4. Ce livre de science-fiction ne m'intéresse pas. → *Ces livres de science-fiction* ....
5. L'héroïne se sentait très seule au début. → *Les héroïnes* ....
6. Tu as peur de t'ennuyer avec ce film. → *Vous* ....

1. IL ÉTAIT UNE FOIS...

A Écoute et entoure la forme verbale que tu entends.

Piste 24

1. **J'aime / J'aimais** les nouvelles de science-fiction.
2. **J'ai regardé / Je regardais** beaucoup de films d'amour.
3. **Vous marchez / Vous marchiez** tranquillement dans la rue.
4. **Tu te concentrais / Tu t'es concentré** sur ton exercice.
5. **Il espère / Il espérait** revoir bientôt cette jolie fille.
6. **Nous avons / Nous avions** 15 ans.
7. **Ils écoutent / Ils écoutaient** le bruit de la mer.

B Complète en conjuguant les verbes entre parenthèses à l'imparfait.

Il .... (être) une fois une petite fille appelée Chaperon rouge. On l' .... (appeler) ainsi, car elle .... (porter) une cape rouge faite par sa mère. Au village, quand les gens la .... (voir) arriver, ils .... (dire) : « Tiens, voilà le Petit Chaperon rouge ! » Le Petit Chaperon rouge .... (avoir) une grand-mère qui .... (vivre) seule dans la forêt. La vieille dame ne .... (sortir) pas beaucoup de chez elle. C'est donc le Petit Chaperon rouge qui lui .... (apporter) son repas. Mais elle .... (devoir) faire attention parce qu'il y .... (avoir) un loup affamé qui .... (se cacher) dans la forêt et .... (vouloir) dévorer la fillette.

2. HISTOIRES ROMANTIQUES

A Remets dans l'ordre les étapes de ce récit romantique.

[1] Un jour, je faisais mes devoirs à la maison. Soudain, quelqu'un a sonné à la porte. Je suis allée ouvrir : personne... D'abord, j'ai pensé à une mauvaise blague. Puis j'ai baissé les yeux et j'ai trouvé une belle rose sur le sol. C'était un lundi.

[ ] Le lendemain, à la même heure, on a sonné de nouveau. Cette fois-ci, j'ai couru à la porte, mais c'était trop tard : il y avait seulement deux fleurs posées dans l'entrée.

[ ] Enfin, j'avais une réponse à ce mystère : un amoureux particulièrement romantique !

[ ] Quand le dernier jour, le vendredi, est arrivé, je voulais absolument découvrir la vérité. Nerveuse, j'attendais derrière ma porte. Tout-à-coup, on a sonné, j'ai ouvert : c'était mon petit-ami, avec un carton d'invitation à dîner pour la Saint-Valentin.

[ ] Ça a continué les jours suivants. Chaque après-midi, je trouvais de nouvelles roses : trois le mercredi, puis quatre le jeudi. Résultat : j'avais un gros bouquet de roses et je ne savais toujours pas de qui il provenait, ni pourquoi.

B Continue le récit de cette rencontre en décrivant les sentiments du personnage avec les expressions proposées.

rester bouche bée — avoir le cœur qui bat à cent à l'heure — espérer — avoir une boule dans le ventre — trouver

Je sortais du collège comme tous les jours, quand soudain je vis une jeune fille qui était là, devant moi. C'était la première fois que je voyais une personne aussi jolie...

3. CONTES TRADITIONNELS

A **Replace les marqueurs de temps suivants dans l'ordre chronologique :**
le mois d'après • l'année suivante • la veille • il y a longtemps • le lendemain • ce jour-là

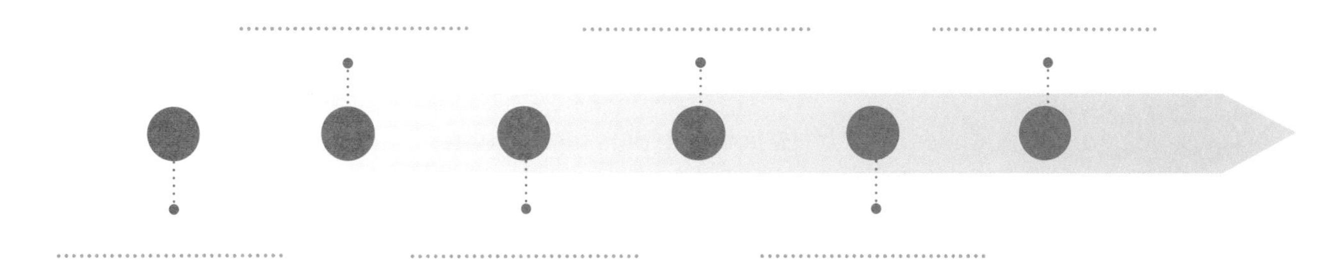

B **On peut voir beaucoup d'animaux sauvages au Sénégal. Ils inspirent au griot des personnages de contes, comme dans « La hyène et l'aveugle ». Complète ces mots croisés. Tu peux t'aider d'un dictionnaire.**

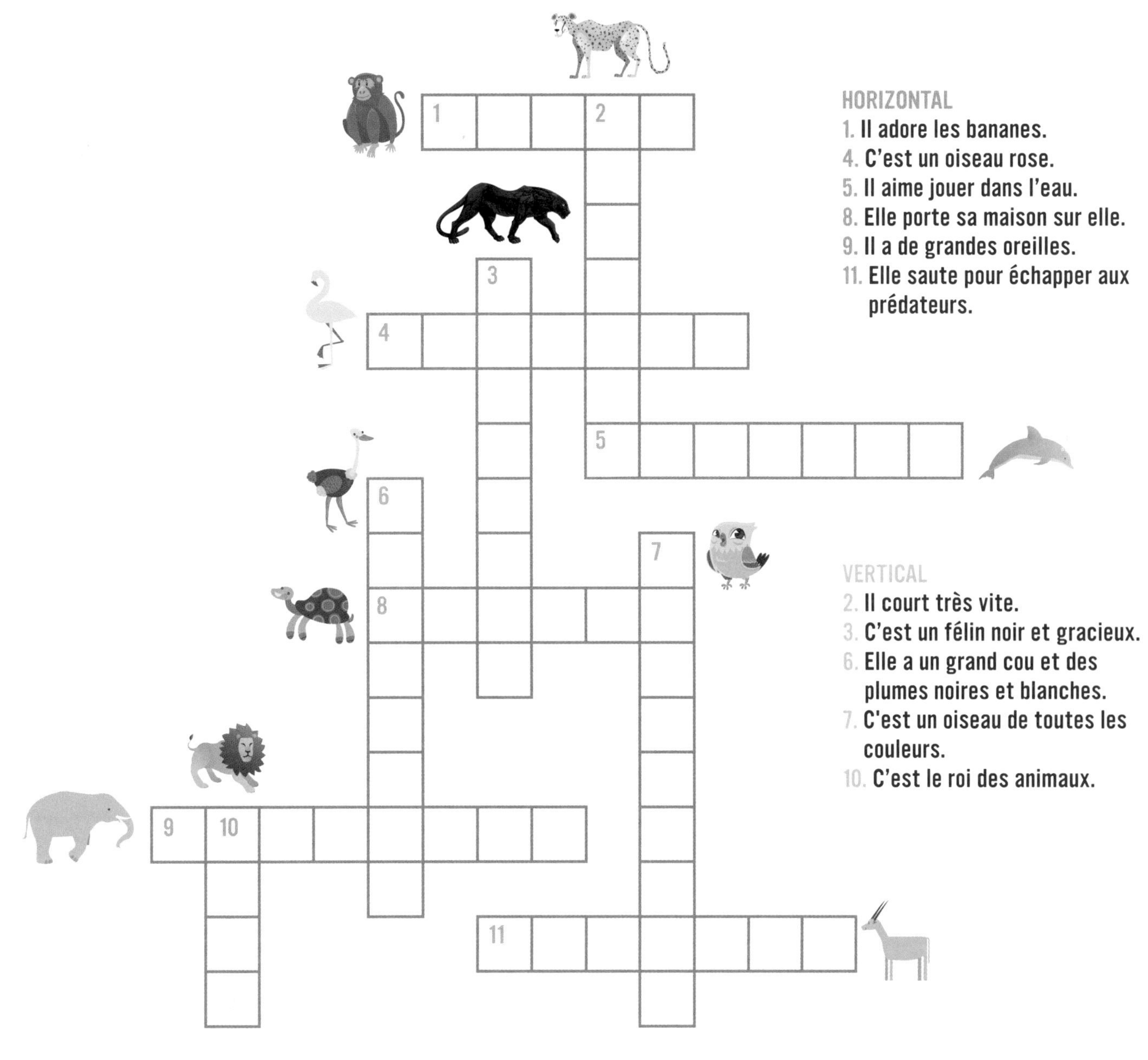

1. QUELLES HABITUDES DE LECTURE ?

A Quelles sont les différences entre lire sur une tablette et lire un livre papier ? Que fait-on avec l'un ou l'autre support, ou les deux ? Coche la ou les bonnes réponses.

	Livre papier	Tablette
1. Je peux agrandir les caractères pour lire plus facilement.	❒	❒
2. Je peux tourner les pages.	❒	❒
3. Je peux ajouter un dessin ou une note sur la page au crayon.	❒	❒
4. Je peux écouter le texte en audio.	❒	❒
5. Je peux toucher et sentir le papier.	❒	❒
6. Je peux le prêter à un(e) ami(e).	❒	❒
7. Je dois recharger la batterie.	❒	❒

B Écoute le micro-trottoir et écris la question correspondant à chaque témoignage de ces Français qui vivent en Allemagne.

Piste 25

TV

Quand est-ce que vous lisez ?

Vous lisez combien de livres par mois ?

Pourquoi aimez-vous lire ?

Où trouvez-vous des livres en français ?

1. Témoignage 1 : ....

2. Témoignage 2 : ....

3. Témoignage 3 : ....

4. Témoignage 4 : ....

C Transforme ces questions dans un style plus standard et plus informel.

1. Quand Léopold Sédar Senghor est-il né ?
Quand est-ce que Léopold Sédar Senghor est né ? Léopold Sédar Senghor est né quand ?

2. Dans quelle langue écrivait-il ?
→ ....

3. Qu'a-t-il écrit ?
→ ....

4. Où a-t-il fait ses études ?
→ ....

5. Durant combien d'années a-t-il été président du Sénégal ?
→ ....

6. Qu'a-t-il encouragé ?
→ ....

2. JE DONNE MON AVIS

A **Lis ces commentaires et classe-les du plus positif au plus négatif.**

J'ai adoré ce manga, il est super chouette !	★★★
Ce bouquin, il n'est pas terrible.	★★★
Je trouve que cette BD est intéressante.	★★★
Le côté poétique, qu'est-ce que ça m'ennuie !	★★★

B **Réécris ces phrases en utilisant des expressions de l'opinion.**

Exemple : J'aime bien les films d'amour. → (trouver) Les films d'amour, je trouve ça bien.

1. Je déteste la poésie. → **(intéresser)** ....
2. Les romans policiers sont ennuyeux. → **(ennuyer)** ....
3. J'adore les nouvelles de science-fiction. → **(penser)** ....
4. C'est génial de devenir conteur. → **(penser)** ....
5. C'est une très bonne idée de faire un blog. → **(trouver)** ....
6. Les séries américaines ne m'intéressent pas. → **(trouver)** ....

C **Écoute le dialogue et dis si les affirmations sont vraies ou fausses. Puis, corrige quand tu as coché faux.**

Piste 26

	VRAI	FAUX
1. Damian trouve le spectacle ennuyeux.	❒	❒
2. Aïssata a adoré l'histoire.	❒	❒
3. Aïssata n'aime pas les contes.	❒	❒
4. Damian aime beaucoup le conteur.	❒	❒
5. Damian a déjà vu des spectacles de contes.	❒	❒

AUTOÉVALUATION

Je sais exprimer des sentiments.

1. Complète avec les bonnes expressions.

a. (Je/J') .... à comprendre la fin de l'histoire. Tu comprends, toi ?
b. (Je/J') .... de lire son dernier roman. Liam m'a dit qu'il est génial !
c. (Je/J') .... de m'ennuyer si on va voir le film historique. On choisit autre chose ?
d. À cause de la musique du film, (Je/J') .... triste tout à coup.
e. (Je/J') .... d'apprendre ce poème par cœur. Ça ne m'intéresse pas.
f. Quand je dois raconter une histoire aux autres, (je/j') .... de parler, au contraire, j'adore ça.

Je peux raconter une histoire en utilisant l'imparfait.

2. Écris les verbes entre parenthèses à l'imparfait.

a. Hier, ... **(être, je)** dans le bus et .... **(lire, je)** un manga, quand un homme très bizarre est monté. .... **(avoir, il)** un grand manteau rouge et .... **(porter, il)** un bonnet. .... **(devoir, il)** mourir de chaleur, parce qu'il .... **(faire)** 30 °C quand même !
b. Quand .... **(être, nous)** enfants, ... **(aller, nous)** chaque été au bord de la mer. Toute la famille .... **(se réunir)** : mes tantes et mes cousins .... **(être)** là aussi. .... **(passer, on)** la journée à la plage et, le soir, ... **(manger, on)** tous ensemble. .... **(s'amuser, on)** bien.

Je sais poser des questions.

3. Remets les mots des questions dans le bon ordre. Parfois, plusieurs réponses sont possibles.

a. ton / préféré / est / quel / personnage .... ?
b. an / livres / tu / de / par / lis / combien .... ?
c. que / lis / est-ce / quand / tu .... ?
d. est-ce / ça / se passe / où / que .... ?
e. vous / généralement / genres / regardez / quels / de séries .... ?
f. contes / dans / tu / aimes / qu' / que / est-ce / les .... ?
g. sur / n'aimes / pourquoi / lire / pas / tu / une / tablette .... ?
h. une / vous / est-ce / d'amour / histoire / que / connaissez / belle .... ?

Je sais exprimer mon opinion.

4. Exprime ton opinion autrement !

a. Ça m'intéresse. → À mon avis, ...
b. Ça m'ennuie. → ....
c. Je pense que c'est vraiment génial. → ....
d. Cette nouvelle n'est pas super. → ....

UNITÉ 8
ENGAGÉS

↑ Place du Général-De-Gaulle, Lille

Que sais-tu d'Adrien ?

Complète les informations sur Adrien.

a. Dans quelle ville habite-t-il ? ....

b. Quelle est sa nationalité ? ....

c. Quel sport pratique-t-il ? ....

d. Écris deux choses qu'il aime. ....

e. De quoi parle-t-il sur son blog ? ....

1. LES PROPORTIONS

A **En t'aidant des titres de journaux, complète chaque phrase avec l'expression de proportion qui convient.**

un élève sur dix — un quart — la moitié — un tiers — la majorité

En France,seulement 33 % des élèves pratiquent une activité sportive

Dans l'Union européenne, 11 % des jeunes décrochent du système scolaire

Harcèlement scolaire en France : 10 % des élèves se sentent harcelés

61,3 millions d'enfants dans le monde ne sont pas scolarisés, dont 32 millions en Afrique subsaharienne

Alphabétisation mondiale : 774 millions d'analphabètes dont 67 % de filles

1. .... des jeunes français ne font pas de sport.
2. .... des personnes qui ne savent pas lire ni écrire sont des filles.
3. Un peu plus de .... des enfants qui ne vont pas à l'école vivent en Afrique subsaharienne.
4. .... des Européens entre 18 et 24 ans ont quitté l'école sans diplôme.
5. En France, ... se sent harcelé à l'école.

B **Cherche des informations et propose deux titres de journaux.**

....

....

2. EXPRIMER SON OPINION

A **Écoute ces témoignages. De quels problèmes parlent-ils ? Et quelles expressions d'opinion sont utilisées ?**

Piste 27

Témoignage	Problème évoqué	Expression(s) de l'opinion
1		
2		
3		
4		
5		

B **Relie les expressions synonymes entre elles.**

C'est choquant.	Ça me surprend.
C'est surprenant.	Je suis scandalisé.
C'est scandaleux.	Ça me choque.
C'est révoltant.	Je ne peux pas y croire.
C'est incroyable.	Ça me révolte.

3. TU ES BÉNÉVOLE ?

A Complète le texte de la page Internet de l'association Les Zécolos avec les verbes qui conviennent.

faire | défendre | aider | rejoindre | mobiliser | engager

LES ZECOLOS

Devenir bénévole ! Vous avez envie de .... une cause qui vous tient à cœur ? Vous souhaitez vous .... pour l'environnement et le développement durable ? Vous avez du temps libre pour .... du bénévolat et nous .... à organiser des animations et des chantiers écologiques ? N'attendez plus pour vous .... avec les Zécolos de votre région ! Pour .... notre équipe de bénévoles, contactez-nous via ce formulaire.

B Conjugue les verbes entre parenthèses au présent.

1. Nous .... (**se mobiliser**) contre le changement climatique.
2. Vous .... (**faire**) souvent du bénévolat ?
3. Elles .... (**défendre**) les droits des animaux.
4. Je .... (**rejoindre**) l'équipe de bénévoles.
5. C'est une fondation qui .... (**aider**) les personnes en situation de handicap.

4. LES MOMENTS DE L'ACTION

A Décris le travail d'équipe de ces bénévoles en utilisant : *venir de* (passé récent), *être en train de* (présent continu) et *être sur le point de* (futur imminent). Aide-toi de l'exemple.

Exemple : Lila et Marc (créer une affiche). Mili (imprimer les affiches). Kévin et Léa (partir les coller).
→ Lila et Marc viennent de créer une affiche.
→ Mili est en train d'imprimer les affiches.
→ Kévin et Léa sont sur le point de partir les coller.

1. Johanna (**relire le tract**). Laura et Xavier (**faire les photocopies**). Les autres bénévoles (**aller les distribuer**).

→ ....

→ ....

→ ....

2. Yazid et Sabine (**préparer les paniers repas**). Élodie (**répartir les paniers**). David (**partir livrer les paniers repas**).

→ ....

→ ....

→ ....

3. Guillaume et Fatou (**nettoyer les boxes**). Charlie (**nourrir les chats**). Lise et Indira (**promener les chiens**).

→ ....

→ ....

→ ....

1. ACTIONS DE L'ENGAGEMENT

A **Écoute les présentations de ces quatre organismes et associe chaque audio au logo correspondant.**

Piste 28

1. Audio n° .... **2.** Audio n° .... **3.** Audio n° .... **4.** Audio n° ....

B **Écoute à nouveau et, pour chaque association, coche la ou les bonnes réponses.**

1. L'association Lire et faire lire
- ❒ recherche des enfants bénévoles.
- ❒ sensibilise les enfants au plaisir de la lecture.
- ❒ favorise les relations entre enfants et personnes âgées.

2. Le Secours populaire
- ❒ s'engage pour la première fois pour les enfants pauvres.
- ❒ va offrir des jouets aux enfants pauvres pour Noël.
- ❒ recherche un bénévole pour jouer le père Noël.

3. La Fondation 30 Millions d'amis
- ❒ lutte contre l'abandon des animaux.
- ❒ encourage les expérimentations sur les animaux.
- ❒ sensibilise les gens sur les droits des animaux.

4. L'équipe de Handicap International
- ❒ organise une course solidaire à Bruxelles.
- ❒ soutient une course solidaire en Syrie.
- ❒ récolte des dons pour les réfugiés syriens blessés.

2. L'IMPÉRATIF

A **Souligne la forme verbale qui n'est pas à l'impératif puis écris la forme correcte, comme dans l'exemple.**

1. *évites* – *évitons* – *évitez* → *évite*
2. fait – faisons – faites → ....
3. es – soyons – soyez → ....
4. aie – avons – ayez → ....
5. achètes – achetons – achetez → ....
6. prend – prenons – prenez → ....
7. va – allions – allez → ....
8. soutiens – soutenons – soutiendrez → ...
9. protège – protégerons – protégez → ....
10. suis – suivons – suivrez → ....

B **Conjugue les verbes à l'impératif pour retrouver les slogans !**

1. (s'unir – nous) « .... pour le Téléthon ! » (Téléthon)
2. (s'engager – vous) « Don de moelle osseuse : .... pour la vie » (Agence de biomédecine)
3. (se mobiliser – nous) « .... contre le harcèlement » (Université Nice Sophia Antipolis)
4. (se préparer – tu) « .... au choc » (Sécurité routière)
5. (s'attacher – vous) « À l'avant comme à l'arrière, attachez votre ceinture. .... à la vie » (Sécurité routière)
6. (se réunir – nous) « .... pour vaincre les préjugés sur le handicap. »
7. (se mobiliser – tu) .... pour le handicap.

C **Que faire pour réduire la pollution dans les océans et sur les plages ? Réécris ces conseils à la 2e personne du singulier de l'impératif.**

Exemple : Tu dois limiter ta consommation de plastique.→ Limite ta consommation de plastique !

1. Tu ne dois rien jeter dans la nature.
→ ....

2. Tu dois ramasser tes ordures et mettre tes déchets à la poubelle quand tu quittes la plage.
→ ....

3. Tu dois acheter du lait solaire plutôt que de l'huile solaire.
→ ....

4. Tu dois éviter les activités nautiques motorisées et choisir plutôt la voile ou le surf.
→ ....

5. Tu dois recycler tes déchets comme le verre, le plastique et le métal.
→ ....

D **Écris maintenant les sept conseils de l'activité C à la 2e personne du pluriel de l'impératif (vous). Fais attention à l'accord des adjectifs possessifs !**

Exemple : Limitez votre consommation de plastique !

1. ....
2. ....
3. ....
4. ....
5. ....

3. ENGAGEONS-NOUS !

A **Complète les lettres manquantes pour retrouver qui sont les acteurs de l'engagement.**

1. M _ L _ _ A _ T
2. _ O R _ E - P _ _ _ L _
3. _ _ N _ A _ R I _ _
4. _ É _ _ V _ L _

B **Marion Cotillard et Yannick Noah sont des stars engagées. Relis l'article p. 129 de ton manuel et retrouve les actions de chacun d'entre eux !**

- aide les enfants isolés ou en situation difficile.
- milite pour la protection des forêts et des espèces en danger d'extinction.
- participe à des conférences sur le changement climatique.
- encourage les jeunes en difficulté à s'intégrer grâce au tennis.
- participe à des concerts caritatifs.
- proteste contre les politiques d'immigration des pays riches.
- a manifesté en Russie pour demander la libération de militants écologistes.
- lutte contre les inégalités sociales.

1. S'INVESTIR AU COLLÈGE

A La solidarité au collège, c'est quoi ? Associe chaque texte à l'image qui lui correspond.

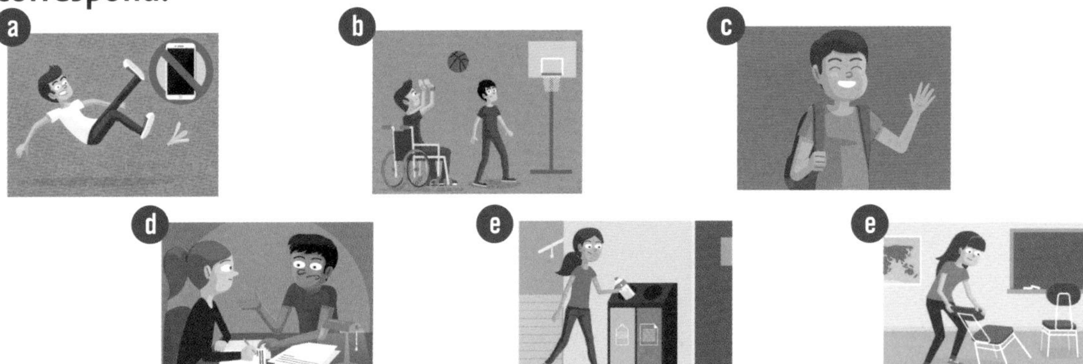

1. Je suis poli(e) envers les élèves et les adultes : je les salue et je leur souris. → .....
2. Je garde mon collège propre : mes ordures, je les jette à la poubelle. → .....
3. Je fais attention aux équipements collectifs. Je ne les abîme pas. → .....
4. Je respecte les différences physiques et d'opinion. Je ne me moque pas des autres. → .....
5. Si un camarade a des difficultés, j'essaie de l'aider à progresser. → .....
6. Je ne fais pas de photos ou de vidéos des autres qui peuvent les blesser. → .....

B Entoure les verbes qui se construisent avec « à quelqu'un ».

proposer écouter
aider conseiller expliquer
demander remercier
donner accepter
dire

2. LES PRONOMS *COD* ET *COI*

A Que remplace le pronom souligné ? Complète selon le modèle en utilisant les compléments suivants : *le tuteur, à la tutrice, les élèves, aux élèves, le travail, les remarques*.

1. *Je les aide. → les = les élèves → J'aide les élèves.*
2. Je leur propose des activités. → leur = ... → ....
3. Je l'évalue. → .... = ... → ....
4. Je leur fais des remarques. → .... = ... → ....
5. Je les accepte pour m'améliorer. → .... = ... → ....
6. Je lui demande des explications. → .... = ... → ....
7. Je les encourage. → .... = ... → ....
8. Je leur donne des conseils. → .... = ... → ....
9. Je l'écoute. → .... = ... → ....
10. Je lui donne une réponse. → .... = ... → ....
11. Je le fais sérieusement. → .... = ... → ....

B **Complète les réponses avec le pronom qui convient.**

1. • Écoutez-vous attentivement votre tutrice ?
   o Oui, nous .... écoutons attentivement.
2. • Aides-tu souvent tes camarades ?
   o Non, je ne .... aide pas très souvent.
3. • Demandez-vous à votre professeur de vous donner des explications ?
   o Oui, nous .... demandons de .... donner des explications.
4. • Tu remercies ta tutrice ?
   o Oui, je .... remercie parce qu'elle .... aide beaucoup.
5. • Tu me donnes la bonne réponse ?
   o Non, je ne .... donne pas cette réponse ! Cherche encore et tu vas .... trouver tout seul.
6. • Conseillerais-tu à une amie de faire du tutorat ?
   o Oui, bien sûr, je .... conseillerais de faire du tutorat.
7. • Est-ce que le tuteur note votre travail ?
   o Il .... évalue et, parfois, il .... met une note.
8. • Est-ce que vous aimez bien votre tutrice ?
   o Oui, nous .... adorons !

3. SOYONS SOLIDAIRES !

A **Écoute l'enregistrement de cette réunion du conseil de la vie collégienne et réponds aux questions.**

Piste 29

1. De quoi parlent-ils ?

❒ des clubs sportifs au collège ❒ des projets du collège ❒ des voyages scolaires

2. Quelle action vient d'être organisée au collège ?

❒ une collecte de vêtements ❒ un spectacle de clowns ❒ une course solidaire

3. Combien d'argent le collège a récolté pour l'association Docteur Clown ?

....

4. Qui veut faire quoi ? Coche la ou les bonnes cases pour chaque personne concernée.

	Le prof	Cynthia	Oscar	Zayad	Esther
Féliciter les participants de la course.	✔				
Aider les sans-abri et les plus démunis.					
Parler avec sa mère pour organiser un projet au collège.					
Rencontrer l'association Emmaüs.					
Encourager les élèves à découvrir des films surprenants.					
Sensibiliser les élèves aux différentes cuisines du monde.					

Je sais utiliser les proportions.

1. Complète avec des expressions de proportion (la majorité, un quart, la moitié...).

a. .... (= plus de 50 %) des habitants de la Terre respire de l'air pollué.
b. L'Union européenne possède .... (= 33 %) des richesses du monde.
c. En Europe, (= 25 %) .... des familles sont considérées comme pauvres ou exclues.
d. .... (= 50 %) des citoyens du monde ne peut agir et s'exprimer librement.

Je sais utiliser le passé récent, le présent continu et le futur imminent.

2. Remplace les éléments soulignés par *venir de*, *être en train de* ou *être sur le point de* selon le sens.

a. Je me suis inscrit à l'instant au club de handball.
→ ....

b. Il va finir dans une minute cette activité.
→ ....

c. Que faites-vous ? – Nous préparons une affiche pour la collecte alimentaire.
→ ....

d. Tu n'es pas près de changer tes habitudes.
→ ....

e. Ils ont manifesté tout à l'heure devant l'école.
→ ....

Je sais utiliser l'impératif.

3. Conjugue les verbes de cette charte écologique à l'impératif.

a. (**trier – tu**) .... tes déchets !
b. (**se mobiliser – tu**) .... contre le gaspillage !
c. (**ne pas avoir – tu**) .... les yeux plus gros que le ventre !
d. (**se servir – vous**) .... de la nourriture en petite quantité !
5. (**être – tu**) .... respectueux des équipements collectifs !

Je sais utiliser les pronoms COD et COI.

4. Entoure le pronom qui convient.

a. De nos jours, il faut **les** - **nous** - **leur** mobiliser pour sauver notre planète. Nous **la** - **lui** - **le** polluons trop et nous devons **lui** - **se** - **la** protéger.

b. Ma grand-mère, je **se** - **lui** - **la** rends visite souvent. Je **l'** - **la** - **lui** aide avec son ordinateur. Elle vient de **le** - **lui** - **l'** acheter. Je **lui** - **le** - **la** explique comment utiliser Internet. Je **lui** - **le** - **la** conseille des sites qui pourraient **lui** - **la** - **l'** intéresser.

c. Quand nous **leur** - **les** - **nous** avons proposé de faire du tutorat dans les classes de 4e, quelques élèves ont voulu participer. Le tutorat **les** - **leur** - **eux** donne le goût d'aider les autres, cela **les** - **leur** - **s'** encourage à travailler ensemble pour apprendre mieux. Et nous devons **les** - **leur** - **nous** soutenir pour développer cette initiative dans les autres classes l'année prochaine.

PRÉPARATION AU DELF

NATURE DES ÉPREUVES
2 ÉPREUVES → 2 CONVOCATIONS POUR L'EXAMEN :

1. LES ÉPREUVES COLLECTIVES :
Elles sont composées de trois parties :
- La compréhension de l'oral
- La compréhension des écrits
- La production écrite

2. L'ÉPREUVE INDIVIDUELLE de production et interaction orales :
Elle est composée de trois parties :
- L'entretien dirigé
- L'échange d'informations
- Le dialogue simulé

NATURE DES ÉPREUVES	DURÉE	NOTE SUR
ÉPREUVES COLLECTIVES		
COMPRÉHENSION DE L'ORAL (CO) Réponse à des questionnaires portant sur trois ou quatre courts documents enregistrés ayant trait à des situations de la vie quotidienne (2 écoutes). Durée maximale des documents : 3 min.	20 min. environ	25
COMPRÉHENSION DES ÉCRITS (CE) Réponse à des questionnaires de compréhension portant sur quatre ou cinq documents relatifs à des situations de la vie quotidienne.	30 min.	25
PRODUCTION ÉCRITE (PE) Épreuve en deux parties : • Compléter un formulaire, une fiche, etc. • Rédiger des phrases simples (cartes postales, légendes, etc.) sur des sujets de la vie quotidienne.	30 min.	25
ÉPREUVES INDIVIDUELLES		
PRODUCTION ET INTERACTION ORALES (PO) Épreuve en trois parties : • entretien dirigé • échange d'informations • dialogue simulé	10 min. de préparation (exercices 2 et 3) Passation 5 à 7 min.	25
Seuil de réussite pour obtenir le diplôme : 50 / 100 Note minimale requise (pour chaque épreuve) : 5 / 25	Durée totale des épreuves : 1h25	Note totale : 100

Pour répondre aux questions, cochez (☒) la bonne réponse ou écrivez l'information demandée.

EXERCICE 1 — 7 POINTS

Piste 30

Vous allez entendre un document. Vous pourrez entendre ce document deux fois. Lisez les questions et répondez. À la fin de l'écoute vous aurez encore du temps pour compléter et vérifier vos réponses.

→ Vous êtes chez un ami français, Matéo. Vous entendez ce message sur son répondeur. Répondez aux questions.

1. Lola invite Matéo :
   - ❐ dans un restaurant.
   - ❐ à la Fête des lumières.
   - ❐ à son anniversaire.
2. L'invitation de Lola est pour :
   - ❐ ce soir.
   - ❐ demain.
   - ❐ dimanche.
3. Où est le point de rendez-vous ?

   ....
4. À quelle heure est le rendez-vous ?

   ❐ 18 h 00 ❐ 18 h 30 ❐ 19 h 30
5. Quel est le numéro de Lola ?

   ❐ 04 72 ..... 41 .....

EXERCICE 2 — 6 POINTS

Piste 31

Vous allez entendre un document. Vous pourrez entendre ce document deux fois. Lisez les questions et répondez. À la fin de l'écoute, vous aurez encore du temps pour compléter et vérifier vos réponses.

→ Vous écoutez un flash météo à la radio.

1. Ce flash météo donne les prévisions :
   - ❐ pour le monde.
   - ❐ pour l'Europe.
   - ❐ pour la France.
2. Il annonce :
   - ❐ du beau temps.
   - ❐ de la pluie.
   - ❐ des nuages.
3. Dans le Sud, il fait :
   - ❐ de 17° C à 20° C.
   - ❐ de 18° C à 21° C.
   - ❐ de 19° C à 25° C.

EXERCICE 3 — 7 POINTS

Piste 32

Vous allez entendre un document. Vous pourrez entendre ce document deux fois. Lisez les questions et répondez. À la fin de l'écoute, vous aurez encore du temps pour compléter et vérifier vos réponses.

→ Vous écoutez une interview à la radio.

1. Quel est le métier de cette personne ?

   ❐ ❐ ❐
2. Où est-ce que cette personne travaille ?

   ....
3. Cette personne aime son travail ?

   ❐ Vrai ❐ Faux ❐ On ne sait pas
4. Quelles sont les deux qualités importantes dans ce métier ?
   - ❐ être patient
   - ❐ avoir un bon contact avec les clients
   - ❐ être créatif
   - ❐ être bon en langues
5. La personne travaille :
   - ❐ tous les jours.
   - ❐ le week-end.
   - ❐ du lundi au vendredi.

EXERCICE 4

10 POINTS

Piste 33

Vous allez entendre cinq petits dialogues correspondant à cinq situations différentes. Il y a quinze secondes de pause après chaque dialogue. Notez, sous chaque image, le numéro du dialogue qui correspond. Puis vous allez entendre à nouveau les dialogues et vous pourrez compléter vos réponses. Regardez les images. Attention, il y a six images mais seulement cinq dialogues.

Situation n° ....

Situation n° ....

Situation n° ....

Situation n° ....

Situation n° ....

Situation n° ....

Pour répondre aux questions, cochez (☒) la bonne réponse ou écrivez l'information demandée.

EXERCICE 1 — 8 POINTS

Vous êtes à l'école en France. Vous lisez cette affiche.

Semaine de l'Environnement
FAITES DE LA RÉCUP' !

L'école propose aux élèves de participer à un atelier de récupération, écologique et créatif !

L'atelier a lieu le 30 mai après les cours, de 16 h à 18 h avec M. Julien.

Vous apprendrez à fabriquer des décorations et de jolis accessoires avec des objets de récupération.

PENSEZ À APPORTER : bouteilles et bouchons en plastique, boîte à œufs, briques de lait ou de jus de fruits !

Le secrétariat attend vos inscriptions avant le 27 mai. (Groupe de 18 personnes maximum)

#Pour sauver la planète, limitons nos déchets !

---> Répondez aux questions.

1. Cette affiche propose un atelier de :
   ❒ cuisine. ❒ récupération. ❒ théâtre.

2. Qu'est-ce que les élèves doivent apporter ?

❒ 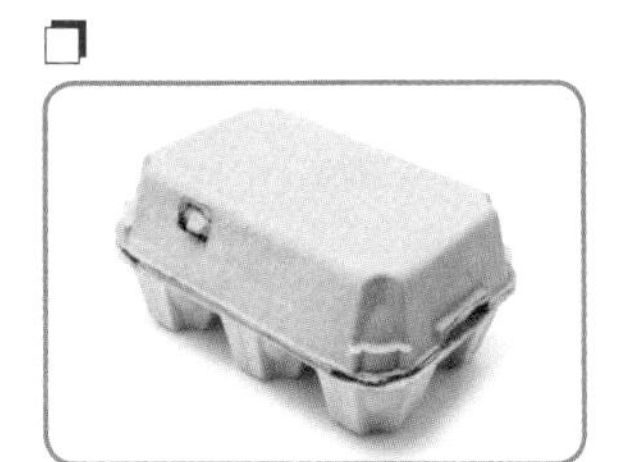 ❒ 

❒  ❒ 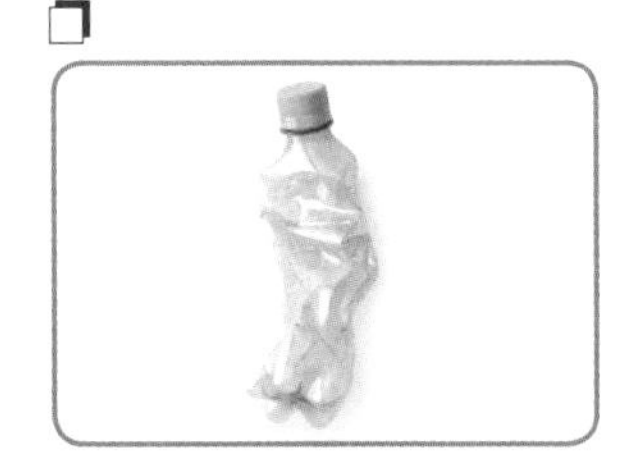

3. Où peut-on s'inscrire ?

   ....

4. Complétez les informations sur l'atelier.
   - Jour : .... • Heure : ....
   - Nombre d'élèves maximum : ....
   - Professeur : ....

EXERCICE 2 — 6 POINTS

Vous êtes à Nantes. Vous lisez cette annonce dans le journal.

 **SALON DU LYCÉEN** 
Du 23 au 25 novembre

Vous allez bientôt choisir une orientation pour vos études ? Vous ne savez pas quel métier faire ?

Rendez-vous au Salon du lycéen pour trouver des infos sur les études supérieures !

Rencontrez les écoles et les universités de votre région	Informez-vous sur vos possibilités : études courtes ou longues, techniques ou générales...	Assistez à des conférences (informatique, mode, journalisme, médecine...)

DES PROFESSIONNELS PARLENT DE LEUR TRAVAIL !

INFOS PRATIQUES :
Entrée libre : 9 h – 18 h
Parc des Expositions - Route de Saint Joseph 44300 Nantes
Accès : Tram 1 – Arrêt Beaujoire / Bus 80 - Arrêt Batignolles

Retrouvez le programme des conférences sur le site **www.salondulyceen.fr**

---> Répondez aux questions.

1. Au Salon du lycéen, vous pouvez trouver des informations sur...
   ❒ les études dans votre région.
   ❒ les spécialités de la région.
   ❒ les nouvelles technologies.

2. Où peut-on trouver le programme des conférences ?

   ....

3. La visite du Salon du lycéen est gratuite.
   ❒ Vrai ❒ Faux ❒ On ne sait pas

4. Où est situé le Salon du lycéen ?

   ....

5. Comment peut-on aller au Salon du lycéen ?

❒  ❒  ❒ 

❒  ❒  ❒ 

EXERCICE 3

6 POINTS

Voici l'emploi du temps de Liam, un élève français au collège.

	LUNDI	MARDI	MERCREDI	JEUDI	VENDREDI
8H00	ANGLAIS LV1 Salle 106	ÉDUCATION PHYSIQUE ET SPORTIVE	MATHS Salle 111	-	FRANÇAIS Salle 206
9H00	HISTOIRE-GÉOGRAPHIE Salle 204		ESPAGNOL LV2 Salle 109	ANGLAIS LV1 Salle 106	
10H00	ARTS PLASTIQUES Salle 213	ESPAGNOL LV2 Salle 109	TECHNOLOGIE Salle 108	HISTOIRE-GÉOGRAPHIE Salle 204	MATHS Salle 111
11H00	VIE DE CLASSE Salle 206	FRANÇAIS Salle 206		PROJETS Salle 216	-
13H30	MATHS Salle 111	MATHS Salle 111	-	ÉDUCATION PHYSIQUE ET SPORTIVE	PHYSIQUE-CHIMIE Salle 210
14H30	FRANÇAIS Salle 206	HISTOIRE-GÉOGRAPHIE Salle 204	-		ANGLAIS LV1 Salle 106
15H30	MUSIQUE Salle 119	PHYSIQUE - CHIMIE Salle 210	COURS DE TENNIS	FRANÇAIS Salle 206	SCIENCES VIE ET TERRE Salle 209
16H30	-	-			-

→ Répondez aux questions.

1. Liam a cours d'histoire-géographie quels jours ?

....

2. Combien d'heures de français a-t-il par semaine ?

....

3. Quelles langues étrangères apprend-il ?

....

4. Quels jours fait-il du sport ?

....

5. Quand est-ce qu'il commence à 9 h ?

....

EXERCICE 4

6 POINTS

Vous passez des vacances en France. Vous recevez ce message de votre amie française Marina.

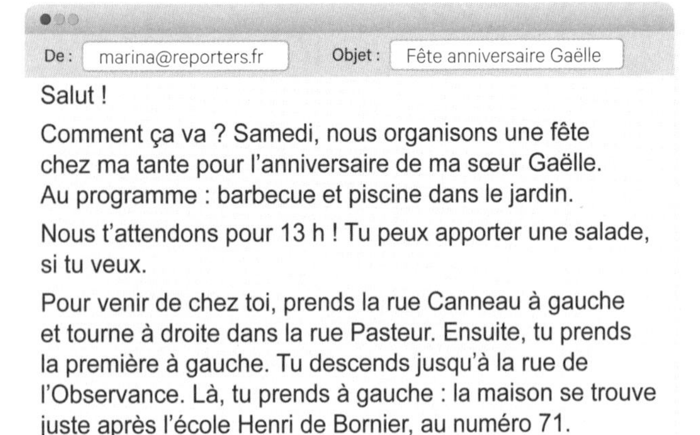

De : marina@reporters.fr Objet : Fête anniversaire Gaëlle

Salut !

Comment ça va ? Samedi, nous organisons une fête chez ma tante pour l'anniversaire de ma sœur Gaëlle. Au programme : barbecue et piscine dans le jardin.

Nous t'attendons pour 13 h ! Tu peux apporter une salade, si tu veux.

Pour venir de chez toi, prends la rue Canneau à gauche et tourne à droite dans la rue Pasteur. Ensuite, tu prends la première à gauche. Tu descends jusqu'à la rue de l'Observance. Là, tu prends à gauche : la maison se trouve juste après l'école Henri de Bornier, au numéro 71.

À samedi !
Marina

→ Répondez aux questions.

1. Marina t'invite à...
   - ❒ son anniversaire.
   - ❒ l'anniversaire de sa tante.
   - ❒ l'anniversaire de sa sœur.

2. Qu'est-ce que Marina propose de faire ?

....

3. Qu'est-ce que vous devez apporter ?

....

4. Vous habitez rue Arago. Dessinez sur le plan le chemin pour aller à la fête.

EXERCICE 1

12 POINTS

Vous participez à un échange scolaire. Vous allez recevoir un correspondant français à la maison.

Complétez la fiche pour vous présenter à votre correspondant.

Nom : .... **Prénom :** ....

Âge : .... **Téléphone :** ....

Adresse : ....

Code postal : .... **Ville :** ....

Adresse mail : ....

MA FAMILLE ET MOI

Frères / Sœurs : ....

Loisirs : ....

Langues parlée(s) à la maison : ....

Animaux de compagnie : ....

EXERCICE 2

13 POINTS

Vous écrivez un e-mail à un(e) ami(e) français(e) pour l'inviter dans votre pays pendant les vacances. Vous parlez des activités que vous pourrez faire ensemble. (40 mots minimum)

De :

Objet :

L'épreuve se déroule en trois parties : un entretien dirigé, un échange d'informations et un dialogue simulé (ou jeu de rôle). Elle dure de 5 à 7 minutes.

Vous disposez de 10 minutes de préparation pour les parties 2 et 3 (échange d'informations et dialogue simulé).

EXERCICE 1

ENTRETIEN DIRIGÉ

(1 à 2 minutes)

Vous répondez aux questions de l'examinateur sur vous, votre famille, vos goûts ou vos activités.

⇢ Exercice sans préparation.

Exemples de questions :

- Vous vous appelez comment ?
- Comment s'écrit votre nom ?
- Parlez-moi de votre famille. Vous avez des frères et sœurs ? Quel âge ont-ils ?
- Quelle est votre nationalité ?
- Quelle est votre date de naissance ?
- Comment vous allez au collège ? Quel moyen de transport vous utilisez ?
- Qu'est-ce que vous aimez faire quand vous avez du temps libre ?
- Vous pratiquez un sport ?
- Qui est votre chanteur ou votre groupe musical préféré ?
- Avez-vous un animal de compagnie ? Comment s'appelle-t-il ?

EXERCICE 2

ÉCHANGE D'INFORMATIONS

(2 minutes environ)

Vous posez des questions à l'examinateur à l'aide des mots écrits sur les étiquettes. Vous ne devez pas réutiliser uniquement le mot mais surtout l'idée.

EXERCICE 3

DIALOGUE SIMULÉ (ou jeu de rôle) : 1 sujet au choix (2 minutes environ)

Vous jouez la situation décrite dans le sujet.

Vous vous informez sur le prix des produits que vous voulez acheter ou commander.

Vous demandez les quantités souhaitées. Pour payer, vous disposez de photos de pièces de monnaie, de billets, d'un chèque et d'une carte bleue. Vous montrez que vous êtes capable de saluer et d'utiliser les règles de politesse. Dans certains sujets, le genre masculin est utilisé pour alléger le texte. Vous pouvez naturellement adapter la situation en adoptant le genre féminin.

SUJET 1.
À LA LIBRAIRIE

Vous êtes en France. Vous cherchez un cadeau pour votre ami(e). Vous allez dans une librairie. Vous demandez des informations sur les prix, vous choisissez un cadeau et vous payez.

SUJET 2.
DANS UN MAGASIN DE VÊTEMENTS

Vous êtes en France. Vous voulez acheter des vêtements pour vous. Vous allez dans un magasin. Vous posez des questions sur les prix, les tailles ou les couleurs et vous achetez deux ou trois articles.

TRANSCRIPTIONS DES ENREGISTREMENTS

UNITÉ 1 : BON APPETIT !

Piste 1 – Leçon 1 – Activité 1C

- • Bonjour Oscar ! Alors, tu manges quoi ?
- ○ Je veux un steak avec des pommes de terre. Du camembert avec du pain et, pour le dessert, une glace au chocolat, s'il vous plaît !
- • Tu ne veux pas d'entrée ?
- ○ Non, non ! Je n'aime pas les crudités.
- • Et un fruit, Oscar ?
- ○ Non plus. Bonne journée !

...

- • Bonjour Clémentine ! Qu'est-ce que tu veux ?
- ○ Euh... pour l'entrée, une salade de tomates.
- • Et le plat ?
- ○ Le plat ? Une cuisse de poulet avec le riz aux légumes. Et je prends un yaourt et une banane pour le dessert.
- • Bah, voilà un repas bien équilibré. Bon appétit !

Piste 2 – Leçon 2 – Activité 2B

- • Alors les amis, vous êtes contents de partir à Marrakech ?
- ○ Oui, on est contents. On va voir nos grands-parents et ma mamie fait très bien la cuisine.
- ▪ Oui, j'adore la cuisine de mamie. Son tajine de poulet, mon ami, ah la la... Il est délicieux.
- • C'est un tajine à quoi ?
- ○ C'est un tajine de poulet à l'abricot, avec des carottes et des pommes de terre. C'est un mélange sucré salé. C'est super bon.
- • Et vous mangez du couscous aussi au Maroc ?
- ▪ Bien sûr, mais moi, je n'aime pas la sauce harissa avec le couscous. C'est vraiment piquant. J'aime le couscous quand ce n'est pas piquant. Donc, pas de harissa !
- ○ Ah, mon frère ! Tu es l'exception de la famille. On aime tous manger piquant : papy, mamie, papa, maman et moi... J'adore la harissa.

Piste 3 – Leçon 3 – Activité 1B

- • J'ai une idée. On peut faire des crêpes pour la fête de Marion ?
- ○ Sucrées ou salées ?
- • Bah les deux !
- ▪ Cool ! On a besoin de quoi ?
- • Alors, pour la pâte à crêpes : on a besoin de 4 œufs, d'une bouteille de lait et de 250 grammes de farine.
- ▪ Et pour la garniture salée ?
- • On prend du fromage ? Ça va ?
- ○ Oui ! Le fromage, c'est bon.
- • Et pour les crêpes sucrées, nous avons besoin de chocolat et de confiture.
- ○ Et des bananes ?
- • D'accord, on peut acheter des bananes aussi.

Piste 4 – Leçon 3 – Activité 2B

- • Comme entrée, je prends une salade de poivrons grillés. Et comme plat, je voudrais un croque-monsieur avec des frites.
- ○ Et moi, la tarte aux poireaux comme entrée. Et après, je prends du poulet à la moutarde avec du riz.
- • Tu veux un dessert ?
- ○ Non, pas de dessert. Mais je vais prendre un café.
- • Moi, c'est le contraire ! Je prends une mousse au chocolat, mais pas de café !

UNITÉ 2 : MES INTÉRÊTS

Piste 5 – Leçon 1 – Activité 1B

A. Moi, je suis passionnée de nouvelles technologies. Je voudrais créer des programmes, des sites Internet, développer des applications ou des jeux pour les ordinateurs. Pour devenir ingénieure en informatique, il faut obtenir un master en informatique. Il y a deux possibilités : aller dans une école d'informatique ou aller à l'université.

B. Je suis super bon en mathématiques et, à la maison, j'aide ma petite sœur à faire ses devoirs. J'aime lui expliquer les calculs et la géométrie. Alors, je pense que j'aimerais bien travailler comme prof de maths plus tard. Oui, je voudrais faire des études de mathématiques après le lycée pour passer le concours d'enseignant.

C. Dans ma famille, bien manger, c'est un plaisir. On cuisine beaucoup ! J'aide mes parents à faire les repas : j'adore tester des recettes et j'adore manger ! Donc, plus tard, j'aimerais travailler dans un restaurant. Je voudrais être cuisinier. C'est un métier fait pour moi. Conclusion : après le collège, je vais aller dans un lycée professionnel et il y a trois années d'études pour avoir son bac pro « cuisine ».

Piste 6 – Leçon 2 – Activité 1D

1. Oui, mais il va rentrer à la maison dans 10 jours. Il participe à de projets très intéressants là-bas et il aime beaucoup ces collègues belges !
2. Samedi prochain, je vais aller chez ma grand-mère pour son anniversaire : je vais aider ma mère à préparer un magnifique gâteau ! Et dimanche prochain, je ne sais pas : je vais faire mes devoirs !
3. Demain matin, je vais accompagner mon petit frère à l'hôpital. Il va se faire opérer de l'appendicite.
4. Non, on ne va pas partir en vacances la semaine prochaine, on va rester à la maison. Mais, le mois prochain, on va voyager aux Îles Baléares !
5. Nous allons passer collecter les dons mardi prochain. J'espère que les gens vont être généreux !

Piste 7 – Leçon 3 – Activité 1C

M. Baldo, il s'occupe de la maison et il sait tout faire ! Il sait bricoler, Il sait très bien faire la cuisine et il sait aussi coudre et tricoter. Mais il ne connaît rien à l'art !

Mme Baldo connaît tous les peintres classiques et modernes. Elle va souvent voir des expositions. Et elle sait dessiner, elle sait peindre. Elle fait aussi du théâtre. Mais elle ne connaît pas de langues étrangères.

Leur fils, Marc parle beaucoup de langues : il sait parler allemand, anglais, russe et japonais. Il connaît des personnes partout dans le monde. Il travaille pour un grand hôtel. Mais il ne sait pas du tout bricoler.

Enfin, Julia, leur fille, est passionnée par les sports. Elle sait jouer au football, au basket et au handball. Elle sait faire du roller et du skate. Et elle connaît tous les sportifs professionnels. Mais elle ne sait pas préparer des pâtes ni coudre un bouton !

Piste 8 – Leçon 3 – Activité 2C

Ma meilleure amie, c'est une vraie artiste ! Elle sait très bien dessiner ! Elle connaît plein de bandes dessinées et de mangas. Elle sait peindre et demain, elle va faire un portrait de moi pour mon anniversaire. Elle sait aussi fabriquer des bijoux. Elle aimerait apprendre à jouer du piano, mais elle ne sait pas lire la musique. L'année prochaine, elle va prendre des cours pour apprendre la musique.

UNITÉ 3 : SUR LA ROUTE

Piste 9 – Leçon 1 – Activité 1A

1. Je mange du saumon.
2. J'ai adoré ce quartier.
3. J'ai fait du cheval.
4. Je visite le centre-ville.
5. J'ai goûté une spécialité.

Piste 10 – Leçon 1 – Activité 2A

Moi, j'habite dans une grande ville. Alors, je préfère passer mes vacances dans la nature, loin de la ville. J'aime beaucoup les sports d'hiver, je fais du snowboard et je fais du ski. J'adore aller à la montagne en été, on peut faire du canoë-kayak sur les lacs, faire des randonnées. Tout est vert, les paysages sont magnifiques. La mer, c'est sympa aussi, mais le problème : il y a beaucoup trop de touristes à la plage ! Je n'aime pas ça...

Piste 11 – Leçon 2 – Activité 1C

Et voici la météo de ce jeudi ! Dans la capitale, c'est variable aujourd'hui. À Paris, le temps est nuageux, mais il ne pleut pas. Il fait 12° C cet après-midi. Dans l'est de la France, à Strasbourg, il fait plus chaud. Il fait 16° C, mais il pleut en Alsace.
Dans le sud du pays, la météo est meilleure. À Toulouse, il fait chaud. Il fait 22° C.
Mais faites attention : il y a du vent.
Enfin, dans la vallée du Rhône et à Lyon, il fait très beau. Il y a du soleil et la température est de 25° C.

Piste 12 – Leçon 2 – Activité 2B

- • Salut Mathilde ! Alors, tes vacances en Italie ?
- ○ J'ai adoré ! La Sicile, c'est merveilleux ! Il fait chaud, il y a du soleil...
- • Ah oui ? Qu'est-ce que tu as fait ?
- ○ Plein de choses ! Nous avons visité des sites archéologiques. Et nous avons fait une randonnée à l'Etna ! C'est un volcan.
- • Et la cuisine italienne ? Tu as goûté des vraies pizzas ?
- ○ Oh oui, les pizzas sont parfaites là-bas ! Et j'ai mangé des glaces délicieuses aussi !
- • Et qu'est-ce que tu as préféré ?
- ○ La plage ! Avec son sable blanc et son eau bleu turquoise. C'est idéal pour se baigner et bronzer !

Piste 13 – Leçon 3 – Activité 2A

Le trésor se situe au centre de l'image. Il se trouve derrière le lac. Le trésor est situé en face de la deuxième montagne bleue, la plus petite qui est au milieu. Il se trouve au bord de la rivière, du côté gauche. Sur l'image, il est entre la fille et la moto.

UNITÉ 4 : RECYCLONS !

Piste 14 – Leçon 1 – Activité 1A

- • Séraphine ? Tu fais le tri chez toi ?
- ○ Oui, bien sûr ! Nous avons différentes poubelles à la maison. Nous trions les déchets, nous sommes écolos ! Nous jetons les bouteilles en plastique, les emballages en carton et les briques de lait dans la poubelle bleue. Et on fait du compost aussi : il y a un bac à compost dans le jardin pour les déchets organiques : les fruits, les légumes, le pain... Après, mes parents utilisent le compost pour jardiner !
- • Et vous recyclez le verre aussi ?
- ○ Alors, nous recyclons les choses en verre, mais il n'y a pas de bac à la maison. Nous allons jeter les bouteilles et les pots en verre dans une poubelle à verre à côté de la gare.

Piste 15 – Leçon 2 – Activité 2B

Bonjour ! Moi, c'est Nina et je vais vous expliquer comment fabriquer une boule à neige pour Noël ! Alors, pour faire votre boule à neige, il faut : un pot en verre, un bouchon en plastique, et tu choisis une jolie figurine pour le centre de ta boule. Pour les outils, vous prenez de la colle forte, de la peinture et des paillettes.
Maintenant la boule à neige, on la fabrique comment ? C'est facile et rapide !
Tout d'abord, tu vas peindre le couvercle du pot en verre !
Puis, tu colles le bouchon en plastique à l'intérieur du couvercle. Ensuite, tu colles ta figurine sur le bouchon en plastique. Moi, j'adore les Lego, donc j'utilise des figurines Lego !
Enfin, il faut ajouter des paillettes et de l'eau !

Piste 16 – Leçon 3 – Activité 2B

1. Je vends cet anorak noir à capuche de marque, taille S. Il est en bon état.
2. Ma sœur donne des vêtements pour bébé. Il y a même une petite robe à pois très mignonne. Ça t'intéresse ?
3. Regarde cette jupe longue à rayures ! Elle est en laine. Ils la vendent à 12 euros seulement !
4. À vendre ! Un magnifique pull rouge à motifs en laine, taille L ! Malheureusement, il est trop grand pour moi !
5. Tiens, une chemise bleu ciel ! Ça change comme couleur ! C'est lumineux. Tu l'aimes bien ?

UNITÉ 5 : CONNECTÉS

Piste 17 – Leçon 1 – Activité 2A

Bonjour et bienvenue au Musée des inventions. Je vous rappelle quelques règles. Pendant la visite, il est interdit d'utiliser les téléphones portables.

- ○ On a le droit de prendre des photos ?
- • Oui, mais les perches à selfies sont interdites. De plus, vous n'êtes pas autorisés à manger durant la visite.
- ¤ Mais, on a le droit de boire ?
- • Oui, bien sûr ! Et dernière chose, ne touchez pas les inventions et ne faites pas trop de bruit.

Piste 18 – Leçon 2 – Activité 2C

- • Salut, Sophie !
- ○ Salut, Léo!
- • Tu vas bien ? Qu'est-ce que tu as fait, hier ?
- ○ Je suis allée au cinéma avec des copains et on a vu Justice League. Et toi ?
- • Je suis resté chez moi. J'ai fait un Skype avec mes amis de La Réunion et j'ai écrit sur mon blog.
- ○ Sophie : Ok. Et J'ai oublié de te dire. Après, on s'est promenés et on a vu Antoine Griezmann !!
- • La chance !!! Je l'adore !!
- ○ Demain, je vais mettre les photos sur mon Facebook.

Piste 19 – Leçon 3 – Activité 2A

1. Non je ne comprends rien. Je vais demander au prof.
2. Non, je n'ai aucun problème. Toi, oui ? Je t'explique si tu veux.
3. Non, personne n'a répondu mais je l'ai envoyé ce matin et tout le monde est en cours.
4. Non, je ne trouve rien. Je vais chercher sur un autre site.
5. Non, jamais. J'utilise Spotify.

UNITÉ 6 : LA MAISON

Piste 20 – Leçon 1 – Activité 2A

- • Allô ! Bonjour. Je vous appelle parce que j'ai vu l'annonce de l'appartement dans le centre-ville de Rennes. Il est toujours disponible ?
- ○ Oui, bien sûr, mais il y a beaucoup de personnes intéressées ! C'est un bel appartement.
- • Nous sommes six personnes et nous voulons passer une semaine au mois de juillet dans la région. Il y a trois chambres dans l'appartement, c'est bien ça ?
- ○ Oui, c'est bien ça. Il y a deux grandes chambres et une autre plus petite.
- • Bien... c'est un peu un problème, mais bon... Et le salon et la cuisine sont séparés ?
- ○ Non, mais le salon est très grand.
- • Il y a une terrasse aussi ?
- ○ Non, juste un petit balcon.
- • Et l'appartement est équipé ?
- ○ Oui, l'appartement est tout équipé : télévision dans le salon et micro-ondes, lave-vaisselle et un petit barbecue sur le balcon.
- • Il y a le wi-fi ?
- ○ Non désolé, pas encore.
- • Et la salle de bain ?
- ○ Elle est toute neuve mais assez petite.
- • Ah oui... s'il n'y a qu'une salle de bain, c'est un peu juste pour six personnes.
- ○ J'ai un autre appartement de disponible si vous voulez. Dans le Vieux Rennes. Il est plus grand avec trois grandes chambres et une terrasse. Mais il est un peu plus cher.
- • Bon, je vais voir avec mes amis et je vous rappelle.
- ○ Très bien, mais assez vite, je reçois beaucoup d'appels.
- ○ D'accord. Merci ! Au revoir.

Piste 21 – Leçon 3 – Activité 3A

- • Bonjour, je fais un sondage sur les adolescents et les tâches ménagères. Est-ce que tu fais beaucoup de choses à la maison ?
- ○ J'essaye d'aider mes parents le plus possible. C'est moi qui range ma chambre, qui passe l'aspirateur. Tous les matins, je fais mon lit avant de partir à l'école. Avec mes frères, on met aussi la table et on fait la vaisselle. On a un tableau à la maison pour répartir les tâches communes.
- • C'est bien ! Quelle est la tâche ménagère que tu préfères et celle que tu détestes ?
- ○ Passer l'aspirateur, ça me dérange pas. J'écoute de la musique en même temps. Mais je déteste faire la vaisselle !
- • Et toi ? Qu'est-ce que tu fais à la maison ?
- ▶ Ma chambre est souvent en désordre alors ma mère m'oblige à la ranger au moins une fois par mois ! Je mets aussi la table avec ma sœur.
- • Quelle est la tâche ménagère que tu préfères et celle que tu détestes ?
- ▶ J'aime bien aller faire les courses avec mon père mais je n'aime pas faire la vaisselle !
- • Et toi, est-ce que tu fais beaucoup de choses à la maison ?
- ¤ J'aide mes parents à étendre le linge, mettre la table, sortir la poubelle, etc.
- • Quelle est la tâche ménagère que tu préfères et celle que tu détestes ?
- ¤ Je suis très gourmande, alors j'aide mes parents à faire la cuisine. Par contre, je déteste repasser le linge !

Piste 22 – Leçon 3 – Activité 3C

Les enfants, j'ai rempli le kifékoi de cette semaine. Clara, mardi, jeudi et vendredi, c'est toi qui mets la table et qui sors les poubelles. Paul, tu mets la table et tu sors la poubelle, lundi, mercredi et samedi. Samedi, pendant que nous faisons les courses avec votre père, vous rangez tous les deux votre chambre. Et dimanche, nous passons la journée au parc d'attractions, donc ce jour-là, il n'y a rien à faire.

UNITÉ 7 : FICTIONS

Piste 23 – Leçon 1 – Activité 1A

1. C'est l'histoire de deux adolescents nés sous une mauvaise étoile. Hazel, 16 ans, a un cancer mortel. Elle va dans un groupe de soutien pour enfants malades et, là, elle rencontre Augustus Waters. Augustus partage son humour et son goût pour la littérature. Une histoire d'amour commence, mais leur temps est compté...
2. Aristote, 15 ans, est un adolescent en colère et silencieux. À la piscine, il rencontre Dante, un garçon sensible, cool et très expressif. Ils sont vraiment différents, mais une amitié profonde et intense va naître entre eux, une amitié qui change leur vie à jamais ! L'un avec l'autre, et l'un pour l'autre, Ari et Dante vont partir en quête de leur identité et des secrets de l'univers.
3. 1942. Adolf Hitler règne sur l'Europe. Arthur, jeune paysan du sud de l'Allemagne, est obligé d'intégrer un camp de vacances des Jeunesses hitlériennes. Il y découvre l'idéologie nazie. Il aimerait devenir aviateur. Alors, quand, à la fin de la guerre, on lui propose de réaliser son rêve : devenir pilote d'avion, Arthur accepte...
4. Ophélie habite sur l'arche d'Anima, une ville flottante où les objets sont animés. Ophélie est une jeune fille discrète, mais elle a des dons magiques : elle peut lire le passé des objets et traverser les miroirs. Quand on la fiance à Thorn, elle doit quitter sa vie pour partir avec son étrange fiancé...
5. Qui a tenté d'assassiner Mlle Stangerson dans la chambre jaune du château ? Comment l'assassin a-t-il fait pour quitter cette chambre fermée de l'intérieur ? L'inspecteur Frédéric Larsan mène l'enquête. Mais, le reporter Joseph Rouletabille trouve le comportement du policier bizarre...

Piste 24 – Leçon 2 – Activité 1A

a. J'aime les nouvelles de science-fiction.
b. Je regardais beaucoup de films d'amour.
c. Vous marchez tranquillement dans la rue.
d. Tu t'es concentré sur ton exercice.
e. Il espérait revoir bientôt cette jolie fille.
f. Nous avions quinze ans.
g. Ils écoutent le bruit de la mer.

Piste 25 – Leçon 3 – Activité 1B

Témoignage 1 : Cela permet d'apprendre plein de choses, et ça me sort du quotidien, aussi quand je lis, j'ai l'impression de changer de monde, d'univers.
Témoignage 2 : En ce moment, je lis quatre livres en même temps ! Le Monde d'hier, de Stefan Zweig, Hunger Games (le 3e tome), de Suzanne Collins, Des gens très bien, d'Alexandre Jardin, Catherine la Grande, d'Henri Troyat.
Témoignage 3 : Je lis tous les jours, plutôt avant de m'endormir en général ou dans les transports en commun.
Témoignage 4 : Il existe plusieurs clubs de lecture et chacun fonctionne différemment, nous achetons des livres en France et nous nous les passons et, bien sûr, nous faisons nos commentaires.

Piste 26 – Leçon 3 – Activité 2C

- Alors, Aissata, comment tu as trouvé le spectacle ?
- J'ai déjà vu des spectacles de contes africains quand j'étais enfant, et j'ai trouvé que l'histoire n'était pas terrible. Et toi ?
- Eh bien, je ne suis pas d'accord avec toi. Je pense que le conteur était super. Et ce n'était pas du tout ennuyeux.
- Ouais, bof, j'avais du mal à rester concentrée... Le griot était intéressant, j'aime bien en général qu'on me raconte des histoires... Mais là, les personnages et la fin, ça m'ennuyait un peu.
- D'accord, comme tu veux. Moi, c'était la première fois que je voyais un griot. Et j'ai trouvé ça vraiment chouette !

UNITÉ 8 : ENGAGÉS

Piste 27 – Leçon 1 – Activité 2A

Témoignage 1 : Moi, je me sens toujours mal quand je vois des sans-abri en ville. Je trouve ça incroyable qu'aujourd'hui encore des gens vivent dans la rue parce qu'ils sont pauvres.
Témoignage 2 : Les États-Unis font partie des États qui polluent le plus notre planète. Je ne comprends pas pourquoi ils ne font rien pour protéger l'environnement. C'est scandaleux !
Témoignage 3 : Les richesses sont tellement mal réparties dans le monde : 1 % des personnes les plus riches possèdent 50 % des richesses mondiales. Vraiment, je trouve ça choquant !
Témoignage 4 : On oublie souvent que la malnutrition est un des problèmes les plus graves de notre époque. Seulement un tiers des habitants de la planète mangent correctement et à leur faim. Au XXIe siècle, c'est surprenant !
Témoignage 5 : Tu le savais ? Presque la moitié des personnes dans le monde ne peuvent pas vraiment s'exprimer ou agir librement en fonction de leurs opinions politiques ou religieuses. Je trouve ça révoltant !

Piste 28 – Leçon 2 – Activités 1A et 1B

1. Les bénévoles de l'association Lire et faire lire sont des lectrices et des lecteurs passionnés âgés d'au moins 50 ans. Ils ont tous choisi d'offrir un peu de leur temps libre pour transmettre leur plaisir de la lecture et des livres avec les enfants. Cela sensibilise les plus jeunes à lire plus, mais aussi cela encourage les relations entre les générations.
2. À l'approche des fêtes de fin d'année, les inégalités sont encore plus visibles. Comme chaque année, le Secours populaire se mobilise pour offrir des cadeaux de Noël aux enfants victimes de la pauvreté et de l'exclusion. Pour pouvoir acheter des jouets neufs, le Secours populaire organise une grande opération "Paquets cadeaux". Nous recherchons des bénévoles pour nous aider à réaliser des paquets cadeaux sur notre stand !
3. La Fondation 30 millions d'amis lutte contre les abandons d'animaux et se mobilise pour protéger les animaux contre l'expérimentation et les trafics. Elle sensibilise l'opinion pour défendre les droits des animaux, partout où les animaux souffrent et ont besoin de reconnaissance dans le monde.
4. Une course pour que d'autres marchent! Courez le Semi-Marathon de Bruxelles avec Handicap International ! 21 km de course dans la capitale belge pour aider les réfugiés syriens ! Grâce à cette course, des enfants et des adultes blessés qui ont fui la Syrie pourront recevoir des soins indispensables : béquilles, fauteuils roulants, prothèses, kinésithérapie... Si vous n'êtes pas sportif, vous pouvez aussi faire un don pour soutenir la bonne cause. Soyez généreux !

Piste 29 – Leçon 3 – Activité 3A

- Bonjour à tous et merci d'être présents à cette réunion du conseil de la vie collégienne. Tout d'abord, je voudrais parler de la course solidaire que nous venons d'organiser. 170 élèves ont participé à la course en faveur des enfants hospitalisés. C'est un énorme succès : l'association Docteur Clown a reçu 635 euros de dons, grâce à vous ! Félicitations, nous pouvons être fiers de notre collège ! Maintenant, je vous propose de faire un tour de table sur vos idées de projets au collège. Alors, qui veut commencer ?... Cynthia, oui, nous t'écoutons !
- Avec Oscar, nous avons pensé organiser une collecte de vêtements pour les gens qui vivent dans la rue. Il y a des personnes qui meurent de froid, c'est révoltant ! Comme c'est bientôt l'hiver, c'est le moment de nous mobiliser.
- En plus, ma mère est bénévole pour l'association Emmaüs qui vient en aide aux sans-abri et aux familles très pauvres... Elle pourra nous aider pour la collecte des vêtements.
- Merci Cynthia, merci Oscar, c'est une très belle initiative. Oscar, tu parles de la collecte avec ta maman, et puis je peux rencontrer l'association Emmaüs pour parler des détails.
- D'accord. Pas de problème.
- Merci. Oui, Zayad, et toi ?
- J'ai eu l'idée de faire une Nuit du Cinéma au collège. Je pense que ça peut intéresser tout le monde. Le principe, c'est de passer la nuit à l'école pour regarder ensemble des films originaux, des films qu'on n'a pas l'habitude de voir à la télé, des films anciens ou étrangers...
- Oui, c'est très intéressant. Mais, Zayad, avant tout, nous devons demander l'autorisation au proviseur. Je vais parler avec lui pour voir si c'est possible. D'accord ?
- Oui, merci Monsieur.
- Esther, tu veux ajouter quelque chose ?
- Oui, les élèves aimeraient bien avoir plus de variété dans les menus à la cantine. Alors, on pourrait préparer une fois par mois un repas typique d'un pays ? En décembre, on prépare un repas italien, en janvier, un repas chinois, en février, un repas sénégalais, etc. Je trouve ça intéressant pour faire découvrir à tous les cuisines du monde. Je suis en train de réfléchir aux menus.
- Moi, je veux bien t'aider pour faire un menu marocain ! Ma mère cuisine super bien. Je peux lui demander des conseils!
- Cynthia : Waouh Esther ! Je trouve ça super chouette ! Et c'est vrai que la maman de Zayad cuisine trop bien! Je veux bien vous aider aussi pour les menus, j'adore cuisiner et manger! (rires)

DELF

Piste 30 – Compréhension de l'oral. Exercice 1

Salut Matéo ! C'est Lola. Je t'appelle parce que nous allons dans le centre-ville pour la Fête des lumières demain soir ! Est-ce que vous voulez venir avec nous ? On peut se retrouver devant la bibliothèque vers 18 h 30 ! Appelle-moi à la maison au 04 72 56 41 83 ! Tchao !

Piste 31 – Compréhension de l'oral. Exercice 2

Aujourd'hui, grand soleil sur toute la France ! Les températures sont agréables pour la saison. Elles vont de 17° C à 20° C dans le Nord et de 19° C à 25° C dans le Sud.

Piste 32 – Compréhension de l'oral. Exercice 3

- J'adore mon métier. Je suis coiffeur. Je travaille dans un grand salon de coiffure. Pour faire ce travail, il faut avoir de la créativité et un bon contact avec les clients. Le seul problème, c'est qu'il faut travailler le week-end, je travaille du mardi au dimanche matin !

Piste 33 – Compréhension de l'oral. Exercice 4

Situation 1
- Allô, Nadia ? Je suis devant le cinéma. Et toi ?
- J'arrive dans cinq minutes !
- D'accord, je vais prendre nos billets pour le film.

Situation 2
- Bonjour jeune homme, je peux vous aider ?
- Oui, je cherche un pull pour mon père.
- Vous cherchez une couleur en particulier ?

Situation 3
- Bonjour madame, quel est le menu aujourd'hui ?
- Il y a du poulet ou du poisson pané avec des haricots verts ou des frites !
- Je vais prendre du poulet avec des frites, s'il vous plaît.

Situation 4
- Bonjour madame ! Nous cherchons l'aquarium.
- Alors, prenez la prochaine rue à gauche et vous continuez jusqu'à la rue Stanley.

Situation 5
- C'est fini ! Posez vos stylos. Je ramasse les contrôles ! Sarah et Charlotte, silence !
- Une minute, s'il vous plaît, monsieur !